崇文館 家庭典藏

崇文国学经典普及文库

颜氏家训

（南北朝）颜之推◎著
曾德明◎译

长江出版传媒
崇文书局

颜氏家训

图书在版编目（CIP）数据

颜氏家训 /（南北朝）颜之推著；曾德明译．
—武汉 ：崇文书局，2017.1
（崇文国学经典普及文库）
ISBN 978-7-5403-4271-5
Ⅰ．①颜…
Ⅱ．①颜… ②曾…
Ⅲ．①家庭道德－中国－南北朝时代②《颜氏家训》－译文
Ⅳ．①B823.1
中国版本图书馆 CIP 数据核字（2016）第 251680 号

出 品 人　潘启胜

统　　筹　陈中琼
责任编辑　刘　瑾
出版发行　长江出版传媒｜崇文书局
地　　址　武汉市雄楚大街 268 号 C 座 11 层
电　　话　(027)87293001　邮政编码　430070
印　　刷　湖北恒泰印务有限公司
开　　本　889×1194　1/32
印　　张　7.25
字　　数　170 千字
版　　次　2017 年 1 月第 1 版
印　　次　2017 年 1 月第 1 次印刷
定　　价　25.80 元
（如发现印装质量问题，影响阅读，请与承印厂调换）

总序

现代意义的“国学”概念，是在 19 世纪西学东渐的背景下，为了保存和弘扬中国优秀传统文化而提出来的。1935 年，王缁尘在世界书局出版了《国学讲话》一书，第 3 页有这样一段说明：“庚子义和团一役以后，西洋势力益膨胀于中国，士人之研究西学者日益众，翻译西书者亦日益多，而哲学、伦理、政治诸说，皆异于旧有之学术。于是概称此种书籍曰‘新学’，而称固有之学术曰‘旧学’矣。另一方面，不屑以旧学之名称我固有之学术，于是有发行杂志，名之曰《国粹学报》，以与西来之学术相抗。‘国粹’之名随之而起。继则有识之士，以为中国固有之学术，未必尽为精粹也，于是将‘保存国粹’之称，改为‘整理国故’，研究此项学术者称为‘国故学’……”从“旧学”到“国故学”，再到“国学”，名称的改变意味着褒贬的不同，反映出身处内忧外患之中的近代诸多有识之士对中国优秀传统文化失落的忧思和希望民族振兴的宏大志愿。

从学术的角度看，国学的文献载体是经、史、子、集。崇文书局的这一套国学经典普及文库，就是从传统的经、史、子、集中精选出来的。属于经部的，如《诗经》《论语》《孟子》《周易》《大学》《中庸》《左传》；属于史部的，如《战国策》《史记》《三国志》《贞观政要》《资治通鉴》；属于子部的，如《道德经》《庄子》《孙子兵法》《鬼谷子》《世说新语》《颜氏家训》《容斋随笔》《本草纲目》《阅微草堂笔记》；属于集部的，如《楚辞》《唐诗三百首》《豪放词》《婉约词》《宋词三百首》《千家诗》《元曲三百首》《随园诗话》。这套书内容丰富，而分量适中。一个希望对中国优秀传统文化有所了解的人，读了这些书，一般说来，犯常识性错误的可能性就很小了。

崇文书局之所以出版这套国学经典普及文库，不只是为了普及国学常识，更重要的目的是，希望有助于国民素质的提高。在国学教育中，有一种倾向需要警惕，即把中国优秀的传统文化"博物馆化"。"博物馆化"是20世纪中叶美国学者列文森在《儒教中国及其现代命运》中提出的一个术语。列文森认为，中国传统文化在很多方面已经被博物馆化了。虽然中国传统的经典依然有人阅读，但这已不属于他们了。"不属于他们"的意思是说，这些东西没有生命力，在社会上没有起到提升我们生活品格的作用。很多人阅读古代经典，就像参观埃及文物一样。考古发掘出来的珍贵文物，和我们的生命没有多大的关系，和我们的生活没有多大关系，这就叫作博物馆化。"博物馆化"的国学经典是没有现实生命力的。要让国学经典恢复生命力，有效的方法是使之成为生活的一部分。崇文书局之所以强调普及，深意在此，期待读者在阅读这些经典时，努力用经典来指导自己的内外生活，努力做一个有高尚的人格境界的人。

国学经典的普及，既是当下国民教育的需要，也是中华民族健康发展的需要。章太炎曾指出，了解本民族文化的过程就是一个接受爱国主义教育的过程："仆以为民族主义如稼穑然，要以史籍所载人物制度、地理风俗之类为之灌溉，则蔚然以兴矣。不然，徒知主义之可贵，而不知民族之可爱，吾恐其渐就萎黄也。"(《答铁铮》)优秀的传统文化中，那些与维护民族的生存、发展和社会进步密切相关的思想、感情，构成了一个民族的核心价值观。我们经常表彰"中国的脊梁"，一个毋庸置疑的事实是，近代以前，"中国的脊梁"都是在传统的国学经典的熏陶下成长起来的。所以，读崇文书局的这一套国学经典普及读本，虽然不必正襟危坐，也不必总是花大块的时间，更不必像备考那样一字一句锱铢必较，但保持一种敬重的心态是完全必要的。

期待读者诸君喜欢这套书，期待读者诸君与这套书成为形影相随的朋友。

陈文新

（教育部长江学者特聘教授，武汉大学杰出教授）

前言

中国历来有重视家教家训的传统，全面系统的家训作品，早在魏晋南北朝时期即已大量涌现，著名的有诸葛亮、王僧虔《诫子书》，嵇康、杜预《家诫》等，而其中内容最丰富、体系最宏大、影响最深远的则是《颜氏家训》一书。

《颜氏家训》的作者颜之推，字介，琅琊临沂（今山东临沂）人。出身书香世家，先世随晋南渡，几经播迁，寓居建康（今江苏南京）。颜之推身处社会动荡的年代，一生经历梁、齐、周、隋四朝，三为亡国之人，阅历之丰富、遭遇之坎坷自不待言，以至于晚年有了看破红尘之感。而他学问广博，精通儒、道、佛各家学说，《北齐书》本传称其“博览群书，无不该洽，词情典丽”。坎坷的生活阅历与博学笃行的处世节行，为他晚年撰著完成《颜氏家训》提供了最好的准备条件。

《颜氏家训》分七卷，共二十篇，以儒家思想为主旨，内容涉及立身治家、人际交往、修身养性、出仕为官、为文从艺等人生的各个方面，文字朴实生动，娓娓道来，对后人期盼之殷勤、告诫之谆谆恳切，俱跃然纸上，读来令人感叹心动，受益无穷。但是，由于时代的局限，其中有些观点需要我们现代人予以扬弃，如因果报应、听天由命、男尊女卑、宣传迷信等等。

《颜氏家训》自问世以来，即被视为士大夫人家的家教范本而广泛流传，历久不衰。宋代学者陈振孙以为“古今家训，以此为祖”(《直斋书录解题》)，这既是古人也是我们今天的共识。此次出版，文字以王利器《颜氏家训集解》为底本，博采众家之长，配以译文及少量插图，以求更适合年轻读者阅读。不当之处，敬祈指正。

目录

序致第一

【原文】

夫圣贤之书，教人诚孝，慎言检迹，立身扬名，亦已备矣。魏、晋已来，所著诸子，理重事复，递相模效，犹屋下架屋，床上施床耳。吾今所以复为此者，非敢轨物范世也，业以整齐门内，提撕子孙。夫同言而信，信其所亲；同命而行，行其所服。禁童子之暴谑，则师友之诫不如傅婢之指挥；止凡人之斗阋(xì)，则尧、舜之道不如寡妻之诲谕。吾望此书为汝曹之所信，犹贤于傅婢寡妻耳。

【译文】

古代圣贤的著述，教导人们要忠诚孝顺、言语谨慎、行为检点、立身扬名等道理，也说得够完备了。从魏、晋以来，各种学派的著作，道理重复，内容雷同，互相抄袭模仿，犹如屋内建屋、床上架床。我现在之所以又来写这类书，并不是想用它来作事物的规范、世人的榜样，只是想用它来端正自家的门风，提醒、教导子孙罢了。同样一句话，有的人相信，这是因为说话者是他所亲近的人；同样一个吩咐，有的人照做，这是因为吩咐者是他所敬服的人。要禁止小孩过于淘气、顽皮的行为，师长的告诫还不如侍婢的劝阻有效；要制止兄弟间的争斗，若告以尧、舜的教导还不如他们妻子的劝告。我希望这本书能被你们后辈子孙所遵从，并能胜过侍婢、妻子所起的作用。

【原文】

吾家风教，素为整密。昔在龆(tiáo)龀(chèn)，便蒙诱诲；每从两兄，晓夕温凊(qìng)，规行矩步，安辞定色，锵锵翼翼，若朝严君焉。赐以优言，问所好尚，励短引长，莫不恳笃。年始九岁，便丁荼蓼，家涂离散，百口索然。慈兄鞠养，苦辛备至；有仁无威，导示不切。虽读《礼》《传》，微爱属文，颇为凡人之所陶染，肆欲轻言，不修边幅。年十八九，少知砥砺，习若自然，卒难洗荡。二十已后，大过稀焉；每常心共口敌，性与情竞，夜觉晓非，今悔昨失，自怜无教，以至于斯。追思平昔之指，铭肌镂骨，非徒古书之诫，经目过耳也。故留此二十篇，以为汝曹后车耳。

【译文】

我家的门风家教，一向严谨。早在幼儿时期，我就时常受到长辈的指导教诲；每次跟从两位兄长去早晚侍奉父母，一举一动都循规蹈矩，神色安详，言语平和，恭敬谦和，好像朝见威严的君主一样。而父母总是慰勉我们，询问我们的喜好志向，勉励我们扬长避短，态度总是十分恳切。我刚九岁时，便遭逢父母亲相继去世，家道中落，全家毫无生气，冷落萧条。慈爱的兄长抚养我长大，尝尽了生活的艰辛；他心地仁慈而缺乏威严，对我教导不够严格。我虽然读过《礼记》《左传》等书，也喜欢写点文章，但与社会世人交往而颇受习俗陶染，放纵私欲又信口开河，还不修边幅。到了十八九岁时，才稍稍知道要磨炼自己的品性，但已习惯成自然，很难一下子彻底改正。二十岁以后，我很少犯大错了，但经常表里不一，口是心非，理智与情感总相互矛盾，夜晚察觉到白天犯的过错，今天悔悟昨天的过失，我可惜自己没有受到很好的教导，以至于到这种地步。如今回想从前的教训，真是刻骨铭心，那是不同于古书上的劝诫，仅仅看一看、听一听而已的。所以我特意写下这二十篇《家训》，作为你们的前车之鉴。

教子第二

【原文】

上智不教而成，下愚虽教无益，中庸之人，不教不知也。古者，圣王有胎教之法：怀子三月，出居别宫，目不邪视，耳不妄听，音声滋味，以礼节之。书之玉版，藏诸金匮。生子咳提，师保固明孝仁礼义，导习之矣。凡庶纵不能尔，当及婴稚，识人颜色，知人喜怒，便加教诲，使为则为，使止则止。比及数岁，可省笞罚。父母威严而有慈，则子女畏慎而生孝矣。吾见世间，无教而有爱，每不能然；饮食运为，恣其所欲，宜诫翻奖，应诃反笑，至有识知，谓法当尔。骄慢已习，方复制之，捶挞至死而无威，忿怒日隆而增怨，逮于成长，终为败德。孔子云“少成若天性，习惯如自然”是也。俗谚曰：“教妇初来，教儿婴孩。”诚哉斯语！

【译文】

智力超群的人，不用教导也能成材；智力低下的人，虽受教导也于事无补；智力中等的人，不教导就不会懂得事理。古时候，圣贤的君王都有胎教的做法：王后怀孩子有三个月时，就要搬出正宫，让她住在别的宫里，眼不看不该看的东西，耳不听不该听的东西，所听音乐和所嗜口味等，都要按礼仪进行节制。而且胎教的方法还要记录在玉片上，收藏在金柜里。孩子出生后，从刚刚会笑时开始，就确定了太师、太保，开始对王子进行仁、孝、礼、义等方面的教育，并引导他练习。普通人纵然不能做到这样，也该在孩子会辨认大人的脸色、知道大人的喜怒的年龄时，就开始教育他，做到大人允许他做才做，不允许他做就不做。这样等孩子长到几岁大时，就可省得对他使用鞭子惩罚了。父母对孩子既保持一定的威严，又不失慈爱，那么子女就会敬畏谨慎而产生孝心。我见世上有些父母，对子女不加教育，一味溺爱，总是不以为然；他们对子女的饮食言行，总是任其为所欲为，该告诫阻止的反而夸奖鼓励，该斥责的反而嬉笑，等到孩子长大有了些知识时，还以为理应如此。孩子骄横傲慢成了习惯，才想到要去纠正制止，就算把孩子鞭打至死也没有什么用了，对子女日益增长的愤怒只会使子女怨恨，等到长大成人，终于还是道德败坏。孔子说“少成若天性，习惯如自然”就是这个道理。俗谚说：“教导媳妇要趁新来时，教育儿子要在孩提时。”这话说得对极了！

【原文】

凡人不能教子女者，亦非欲陷其罪恶；但重于诃怒伤其颜色，不忍楚挞惨其肌肤耳。当以疾病为谕，安得不用汤药针艾救之哉？又宜思勤督训者，可愿苛虐于骨肉乎？诚不得已也。

【译文】

一般不善于教育子女的人，也不是想让子女走向作恶犯罪；只是不愿意大声怒斥，怕伤其脸面，又不忍心用荆条抽打子女而使其受皮肉之苦罢了。对于这样的父母，应当以治病救人的道理来打比方，一个人生了病，哪有不用汤药、针灸就能治好病的呢？也要想想那些勤于督促训导子女的父母，难道他们愿意苛刻地虐待自己的骨肉吗？确实是不得已啊。

【原文】

王大司马母魏夫人，性甚严正。王在湓(pén)城时，为三千人将，年逾四十，少不如意，犹捶挞之，故能成其勋业。梁元帝时，有一学士，聪敏有才，为父所宠，失于教义。一言之是，遍于行路，终年誉之；一行之非，掩藏文饰，冀其自改。年登婚宦，暴慢日滋，竟以言语不择，为周逖抽肠衅鼓云。

【译文】

大司马王僧辩的母亲魏夫人，秉性十分严谨方正。王僧辩驻守在湓城时，已经是一位统率三千人的将领，年龄已超过四十岁，但稍有不合意的言行，老夫人仍用棍棒教训他，因而能成就王僧辩的功业。梁元帝时，有一个学士，聪明机敏而有才华，从小被他的父亲娇宠，缺乏教育。只要他有一句话说得好，他父亲就到处宣扬，一年到头都赞不绝口；如果他有一件事做错了，他父亲就极力为他遮掩，希望他能自觉改正。这样到学士成年后，粗暴傲慢的恶习日益滋长，最终因为说话不检点，触犯了周逖，被周逖抽出肠子，还用他的血去涂抹战鼓。

【原文】

父子之严，不可以狎；骨肉之爱，不可以简。简则慈孝不接，狎则怠慢生焉。由命士以上，父子异宫，此不狎之道也；抑搔痒痛，悬衾(qīn)

箧(qiè)枕，此不简之教也。或问曰："陈亢喜闻君子之远其子，何谓也？"对曰："有是也。盖君子之不亲教其子也。《诗》有讽刺之辞，《礼》有嫌疑之诫，《书》有悖乱之事，《春秋》有邪僻之讥，《易》有备物之象：皆非父子之可通言，故不亲授耳。"

【译文】

父子之间要严肃，不可以过于亲昵；子女对至亲的爱，不可以简慢不拘礼节。不拘礼节就不能做到父慈子孝，过分亲昵就会产生怠慢轻忽之心。《礼记·内则》中记载，从有地位的读书人往上数，都是父子不同室居住，这就是使父子之间不过分亲昵的道理；至于长辈身体不适时晚辈为他们按摩搔痒，长辈每天起床后晚辈为他们整理卧具，这些都是讲究礼节的教育。有人要问："《论语》记载陈亢听到孔子不亲昵自己的儿子而感到高兴，这是什么意思呢？"回答是："有这么回事。这是因为君子不亲自教授他的孩子。《诗经》里有讽刺骂人的话，《礼记》中有自避嫌疑的告诫，《尚书》里有违礼作乱的事，《春秋》中有对淫乱行为的指责，《易经》里有备物致用的卦象，这些都不是父亲可以直接向儿子讲解的，所以君子不能亲自教自己的孩子。"

【原文】

齐武成帝子琅邪王，太子母弟也，生而聪慧，帝及后并笃爱之，衣服饮食，与东宫相准。帝每面称之曰："此黠儿也，当有所成。"及太子即位，王居别宫，礼数优僭(jiàn)，不与诸王等。太后犹谓不足，常以为言。年十许岁，骄恣无节，器服玩好，必拟乘舆；尝朝南殿，见典御进新冰，钩盾献早李，还索不得，遂大怒，诟(gòu)曰："至尊已有，我何意无？"不知分齐，率皆如此。识者多有叔段、州吁之讥。后嫌宰相，遂矫诏斩之，又惧有救，乃勒麾下军士，防守殿门；既无反心，受劳而罢，后竟坐此幽薨。

【译文】

齐武成帝高湛的儿子琅琊王高俨，是太子高纬的同母弟弟，他天生聪慧，武成帝和胡皇后都非常喜欢他，不论穿的吃的，都与太子相同。武成帝经常当面称赞他说："这是个聪明的孩子，将来应当有所成就。"等太子即位当皇帝，琅琊王搬到别宫居住，而他的待遇仍然十分优厚，超过其他为王的弟兄。可胡太后还认为优待不够，常为此向皇帝诉说。琅琊王才十来岁，就骄横放肆得毫无节制，吃穿用住等方面都要与皇帝相比。有一次，琅琊王去南殿朝拜，见典御官向皇帝进献新从地窖里取出的冰块，钩盾官进献早熟的李子，他回府后就派人去索取，不料没有得到，于是他就大发脾气，骂道："皇帝有的东西，我为什么没有？"他的言行不知分寸大都像这样。有识之士大多指责他好像古代的共叔段、州吁一样。后来，琅琊王讨厌宰相和士开，就假传圣旨把他杀了，行刑时担心有人来救和士开，竟命令手下的军士守住皇帝所在的宫殿大门；他本无反叛之心，受安抚后就撤了兵，可最终还是因此而被皇帝秘密杀了。

【原文】

人之爱子，罕亦能均；自古及今，此弊多矣。贤俊者自可赏爱，顽鲁者亦当矜怜。有偏宠者，虽欲以厚之，更所以祸之。共叔之死，母实为之；赵王之戮，父实使之。刘表之倾宗覆族，袁绍之地裂兵亡，可为灵龟明鉴也。

【译文】

人们喜爱自己的子女，很少能做到一视同仁的；从古至今，有这种弊病的太多了。才德兼备的孩子固然值得赏识喜爱，而那些愚笨迟钝的孩子也应当得到怜惜和爱护。那些被父母偏宠的孩子，虽然父母是想厚待他，却反而害了他。共叔段之死，其实是他母亲造成的；赵王如意的被害，其实是他父亲促成的。还有像刘表的宗族被倾覆，袁绍的兵败失地，都是可以像灵龟显示的卦象和明亮的镜子一样作为借鉴的啊。

【原文】

齐朝有一士大夫，尝谓吾曰："我有一儿，年已十七，颇晓书疏，教其鲜卑语及弹琵琶，稍欲通解，以此伏事公卿，无不宠爱，亦要事也。"吾时俛（fǔ）而不答。异哉，此人之教子也！若由此业，自致卿相，亦不愿汝曹为之。

【译文】

齐朝有一位士大夫，曾经对我说："我有一个儿子，已经十七岁了，很会写文书、信札等，教他学鲜卑语和弹琵琶，他逐渐地也快掌握了，用这些特长去为王公大臣们服务，没有不受宠爱的，这也可说是一件重要的事啊。"我当时听了低头不语。这个人教育孩子的方法真奇怪啊！如果靠从事这种职业，就是能当上卿相，我也不愿让你们去做的。

兄弟第三

【原文】

夫有人民而后有夫妇，有夫妇而后有父子，有父子而后有兄弟：一家之亲，此三而已矣。自兹以往，至于九族，皆本于三亲焉，故于人伦为重者也，不可不笃。兄弟者，分形连气之人也。方其幼也，父母左提右挈，前襟后裾，食则同案，衣则传服，学则连业，游则共方，虽有悖乱之人，不能不相爱也。及其壮也，各妻其妻，各子其子，虽有笃厚之人，不能不少衰也。娣姒(sì)之比兄弟，则疏薄矣；今使疏薄之人，而节量亲厚之恩，犹方底而圆盖，必不合矣。惟友悌深至，不为旁人之所移者，免夫！

【译文】

先有人类而后才有夫妇，有了夫妇而后才有父子，有了父子而后才有兄弟：一个家庭中的亲人，就只有这三种关系。由此类推，直至所谓“九族”，都是来源于“三亲”。所以说“三亲”是人伦关系中最重要的，不可不重视。兄弟，是一母所生、形体不同而气息相通的人。在他们小的时候，父母左手拉着一个，右手扯着另一个；这个牵着父母衣服的前襟，那个抓着衣服的后摆；吃饭时共用一张桌子，穿衣是哥哥穿了再传给弟弟；学习上弟弟使用哥哥读过的书籍；就是游玩，兄弟也在同样的地方。如此则兄弟之间即使有悖礼胡闹的人，也不能不互相爱护。等到兄弟都长大了，各自娶了妻子，有了自己的孩子，即使忠诚厚道的兄弟，感情也不可能不比小时候淡薄。妯娌之间与兄弟相比，感情上就疏远淡薄多了。如今让感情疏远淡薄的妯娌来节制度量亲密深厚的兄弟感情，就好像给方形的底座配上圆形的盖子，必定不会合适的。唯有兄弟间互相爱护、感情深厚，才不会因别人的影响而疏远关系，你们一定要避免出现上述情形啊！

【原文】

二亲既殁，兄弟相顾，当如形之与影，声之与响；爱先人之遗体，惜己身之分气，非兄弟何念哉？兄弟之际，异于他人，望深则易怨，地亲则易弭。譬犹居室，一穴则塞之，一隙则涂之，则无颓毁之虑；如雀鼠之不恤，风雨之不防，壁陷楹沦，无可救矣。仆妾之为雀鼠，妻子之为风雨，甚哉！

【译文】

父母去世后，兄弟之间更应互相照顾，要如同形体与它的影子、声音与它的回声一样亲密；互相爱护先辈所给予的身体，互相珍惜从父母那里分得的血气，不是兄弟的话，谁会这样互相爱怜呢？兄弟之间的关系是不同于别人的，相互期望过高就容易产生不满，而相处密切的话，不满也就容易消除。比如一间房子，如果有个洞就马上堵塞住，有条缝隙就马上涂盖住，那么这房子就不用担心会倒塌；如果对麻雀、老鼠的危害不放在心上，对风雨的侵蚀不加防范，那当墙倒柱断时，就无法补救了。比起雀鼠和风雨，仆妾和妻子的危害更厉害吧！

【原文】

兄弟不睦，则子侄不爱；子侄不爱，则群从疏薄；群从疏薄，则僮仆为仇敌矣。如此，则行路皆踖(jí)其面而蹈其心，谁救之哉！人或交天下之士，皆有欢爱，而失敬于兄者，何其能多而不能少也！人或将数万之师，得其死力，而失恩于弟者，何其能疏而不能亲也！

【译文】

兄弟之间不和睦，则子侄就不会互相爱护；子侄不互相爱护，则家族中的所有子弟都会相互疏远，感情淡薄；族中子弟既然关系疏远，感情淡薄，则童仆之间就会互为仇敌了。如果变成这样，那么过往的路人都可以任意践踏、欺辱他们，谁还能救得了他们呢！有些人能和天下各种各样的人交朋友，且都很融洽，却不能敬重自己的兄长，为什么能和那么多人相处，却不能善待自己仅有的少数兄长呢！有的人能统率数万人的军队，使部下为他拼死效力，而对自己的弟弟却缺少恩爱，为什么对关系疏远的人能广施恩惠，对关系亲密的人却不行呢！

【原文】

娣姒者，多争之地也，使骨肉居之，亦不若各归四海，感霜露而相思，伫日月之相望也。况以行路之人，处多争之地，能无间者，鲜矣。所以然者，以其当公务而执私情，处重责而怀薄义也。若能恕己而行，换子而抚，则此患不生矣。

【译文】

妯娌之间，容易产生纠纷，即使是同胞姐妹成为妯娌而住在一起，也不如让她们各嫁一方，这样，她们因长久分离，才会感叹霜露降临而互相思念，仰观日月的运行而期待相聚。更何况妯娌本来就是互不相识的路人，处于容易产生争执的环境里，能够互相没有隔阂的实在是很少。之所以会这样，是因为在处理家庭中的公共事务时大家都各怀私心，处于担负家庭重要职责的地位却怀有个人恩怨。假如妯娌都能以仁爱之心行事，把对方的孩子当作自己的孩子一样抚养，那么妯娌不和的事情就不会发生了。

【原文】

人之事兄，不可同于事父，何怨爱弟不及爱子乎？是反照而不明也。沛国刘琎尝与兄瓛连栋隔壁。瓛呼之数声不应，良久方答；瓛怪问之，乃曰："向来未着衣帽故也。"以此事兄，可以免矣。

【译文】

有的人不能够像侍奉父亲一样来对待自己的兄长，那又怎么能埋怨兄长对自己的爱护不如对他的孩子呢？这是不能将心比心造成的。

沛国人刘琎曾经与他的哥哥刘瓛住在一栋房子里，相互只隔一层墙壁。有一次刘瓛呼叫刘琎，叫了好几声都没人答话，过了好一阵才听见刘琎回答。刘瓛感到很奇怪，问他原因，刘琎回答说："因为我刚才还没有穿好衣帽。"以这种态度敬事兄长，就可以不必担心哥哥对自己的情义了。

【原文】

江陵王玄绍，弟孝英、子敏，兄弟三人，特相爱友，所得甘旨新异，非共聚食，必不先尝，孜孜色貌，相见如不足者。及西台陷没，玄绍以形体魁梧，为兵所围，二弟争共抱持，各求代死，终不得解，遂并命尔。

【译文】

江陵人王玄绍，与弟弟孝英、子敏三人特别友爱，谁若得到美味新奇的食物，如果不是三个人一起享受，那必定谁也不会自己先尝。兄弟三人虽然都互相勤勉尽力相待，但每次见面仍觉得自己做得不够。到西台被敌人攻陷时，玄绍因为身体魁梧，被敌兵包围，两个弟弟争着去保护他，各自求着代替哥哥去死，但终未解脱厄运，兄弟三人同时被杀害。

后娶第四

【原文】

吉甫，贤父也，伯奇，孝子也，以贤父御孝子，合得终于天性，而后妻间之，伯奇遂放。曾参妇死，谓其子曰："吾不及吉甫，汝不及伯奇。"王骏丧妻，亦谓人曰："我不及曾参，子不如华、元。"并终身不娶，此等足以为诫。其后，假继惨虐孤遗，离间骨肉，伤心断肠者，何可胜数。慎之哉！慎之哉！

【译文】

尹吉甫是一位贤明的父亲，伯奇则是一个孝子，以贤明的父亲来教诲孝顺的儿子，应当是完全符合父慈子孝的美德的。但由于吉甫的后妻从中挑拨离间，伯奇便被父亲放逐。曾参的妻子死后，对他的儿子说："我比不上吉甫贤明，你们也不如伯奇孝顺。"王骏丧妻后，也对劝他再娶的人说："我不及曾参，我的儿子也比不上曾华、曾元。"他们都终身没有再娶。这些事都足以让人引以为戒。在曾参、王骏之外，继母残酷虐待前妻的孩子，离间父子骨肉的关系，让人伤心断肠的事，真是数不胜数。你们在娶后妻这件事上，一定要谨慎啊！要谨慎啊！

【原文】

江左不讳庶孽，丧室之后，多以妾媵终家事；疥癣蚊虻，或未能免，限以大分，故稀斗阋之耻。河北鄙于侧出，不预人流，是以必须重娶，至于三四，母年有少于子者。后母之弟，与前妇之兄，衣服饮食，爰及婚宦，至于士庶贵贱之隔，俗以为常。身没之后，辞讼盈公门，谤辱彰道路，子诬母为妾，弟黜兄为佣，播扬先人之辞迹，暴露祖考之长短，以求直己者，往往而有。悲夫！自古奸臣佞妾，以一言陷人者众矣！况夫妇之义，晓夕移之，婢仆求容，助相说引，积年累月，安有孝子乎？此不可不畏。

【译文】

江东一带的人不忌讳婢妾所生的孩子，正妻死后，大多以妾来主管家事。家庭内小的纠纷或许不能避免，但限于婢妾的地位名分，因此很少有正妻、婢妾子女间起内讧的事情。而黄河以北的人却鄙视婢妾所生的孩子，把他们当下等人看待，因此当正妻死后，就必须再娶，甚至于娶三四次，有的后妻年龄比前妻的子女还小。后妻生的儿子，与前妻所生的儿子，从衣服饮食的待遇以至婚配、做官，都有着士人与庶人、贵族与贱民一样的差别，而他们对此也习以为常。这样，一旦父亲去世之后，家庭成员之间的诉讼之事充斥官府，诽谤辱骂之声在路上都听得到，前妻之子诬蔑后母是婢妾，后妻之子贬黜前妻之子为佣仆，各人到处宣扬祖先的私事，竞相暴露祖先的是非短长，想以此证明自己有道理，这种事在那些再娶的家庭经常发生。这真可悲啊！自古以来，奸臣佞妾以一句话就陷害了别人的事太多了！何况夫妻间的情义，早晚都可以改变丈夫的态度，奴婢为了求取主人的欢心，就从旁帮着劝说引诱，这样长年累月下去，怎么还会有孝子呢？这不能不让人感到畏惧。

【原文】

凡庸之性，后夫多宠前夫之孤，后妻必虐前妻之子；非唯妇人怀嫉妒之情，丈夫有沉惑之僻，亦事势使之然也。前夫之孤，不敢与我子争家，提携鞠养，积习生爱，故宠之；前妻之子，每居己生之上，宦学婚嫁，莫不为防焉，故虐之。异姓宠则父母被怨，继亲虐则兄弟为仇，家有此者，皆门户之祸也。

【译文】

按一般人的秉性来看，后夫大多宠爱前夫的子女，后妻则必定会虐待前妻的子女。这并不是说只有妇人怀有嫉妒之心，而男子有溺爱孩子的毛病，实际上这是事物发展的形势使他们如此。前夫的子女，不敢与后夫的子女争夺家产，在这种情况下，后父从小照顾抚养他们，日子一长自然就会产生爱心，所以后父就宠爱他们。前妻的孩子，年龄地位一般都在自己生的子女之上，无论做官、读书还是娶妻出嫁，没有一样不要提防的，所以后母很可能虐待他们。父母宠爱异姓孩子则会招致自己孩子的怨恨，继母虐待前妻的孩子则会使兄弟之间反目成仇，凡是家中有这些事的，都可说是家门的灾祸啊。

【原文】

思鲁等从舅殷外臣，博达之士也。有子基、谌，皆已成立，而再娶王氏。基每拜见后母，感慕呜咽，不能自持，家人莫忍仰视。王亦凄怆，不知所容，旬月求退，便以礼遣，此亦悔事也。

【译文】

思鲁等孩子的堂舅殷外臣，是一位博学通达的人士。他的两个儿子殷基、殷谌，都已经长大成人，而他在妻亡后又再娶王氏。殷基每次去拜见后母，都因思念生母而失声痛哭，不能控制住自己，家人都不忍心抬头看他。王氏见了也不禁感到凄苦悲伤，不知该如何面对他，因此结婚才半个月就请求退婚，殷外臣只好按照礼节将她送回娘家，这也是一件让人懊悔的事啊。

【原文】

《后汉书》曰："安帝时，汝南薛包孟尝，好学笃行，丧母，以至孝闻。及父娶后妻而憎包，分出之。包日夜号泣，不能去，至被殴杖。不得已，庐于舍外，旦入而洒扫。父怒，又逐之，乃庐于里门，昏晨不废。积岁余，父母惭而还之。后行六年服，丧过乎哀。既而弟子求分财异居，包不能止，乃中分其财；奴婢引其老者，曰：'与我共事久，若不能使也。'田庐取其荒顿者，曰：'吾少时所理，意所恋也。'器物取其朽败者，曰：'我素所服食，身口所安也。'弟子数破其产，还复赈给。建光中，公车特征，至拜侍中。包性恬虚，称疾不起，以死自乞。有诏赐告归也。"

【译文】

《后汉书》记载："汉安帝时，汝南有位姓薛名包字孟尝的人，他好学上进，品行忠厚，母亲已经去世，因特别孝顺而闻名乡里。等到他的父亲娶了后妻,逐渐憎恶薛包,让他分家出去住。薛包日夜痛哭流泪,不愿离开,以致被父亲用棍棒殴打。薛包迫不得已,只好在家门外搭间庐舍住着,每天早上都回家清扫房屋。他的父亲十分恼怒,又把他赶走,于是薛包就只得在里巷外面搭间小屋住着,每天早晚仍不间断地向父母请安。这样过了一年多,他的父母也感到惭愧,让他搬回了家。当父母去世后,薛包守孝六年,超过一般守孝三年的礼法惯例。接着不久,弟弟要求分家居住,薛包无法劝止他,只好将家产平分;自己主动分取奴婢中年老体弱者,说:'这些人与我共事的时间很长,你使唤不了他们。'田地房屋中荒芜破败的分给自己,说:'这些是我小时候整治过的,情意上十分依恋。'器具物品则拿了些腐朽破旧的,说:'我平素使用的,已经习惯了。'分家后,他的弟弟多次把自己的家产破败了,薛包一次又一次资助他。建光年间,朝廷特意征聘他,直至任用他为侍中。薛包生性恬淡,不喜欢做官,就声称自己卧病在床,快要死了,乞求回家养病。皇帝只好下诏书让他保留官衔回家了。"

治家第五

【原文】

夫风化者，自上而行于下者也，自先而施于后者也。是以父不慈则子不孝，兄不友则弟不恭，夫不义则妇不顺矣。父慈而子逆，兄友而弟傲，夫义而妇陵，则天之凶民，乃刑戮之所摄，非训导之所移也。

【译文】

有关风俗教化的问题，是由上面推行到下面，由先人影响后人的。因此，如果做父亲的不慈爱，子女就不会孝顺；做兄长的不友爱，弟妹就不会恭敬；丈夫不讲情义，妻子就不会温顺。假如父亲慈爱有加而子女忤逆不孝，兄长友爱备至而弟妹傲慢不恭，丈夫情义深厚而妻子盛气凌人，那这些人就是天生的凶恶之徒，只能用刑罚去威慑他们，不是靠教育感化所能改变的。

【原文】

笞怒废于家，则竖子之过立见；刑罚不中，则民无所措手足。治家之宽猛，亦犹国焉。

【译文】

在家庭内，如果废止斥责、体罚等手段，那孩子们的过失马上就会再出现；正如一个国家，如果刑罚不适当，那老百姓就无所适从。治理一个家庭的宽严标准，也好像治理一个国家一样。

【原文】

孔子曰："奢则不孙，俭则固；与其不孙也，宁固。"又云："如有周公之才之美，使骄且吝，其余不足观也已。"然则可俭而不可吝已。俭者，省约为礼之谓也；吝者，穷急不恤之谓也。今有施则奢，俭则吝；如能施而不奢，俭而不吝，可矣。

【译文】

孔子说："一个人如果奢侈就显得骄傲，过于俭朴就显得寒碜，与其骄傲，还不如寒碜。"孔子又说："即使才能的杰出真比得上周公，但只要他骄傲自大而且吝啬，那其余的方面也就不值一提了。"既然这样，那就是说应该节俭而不应该吝啬。节俭，是简约地按礼法办事；吝啬，则指即使对于穷苦急难的人也不救济。现在舍得施舍的人就奢侈无度，节俭的人就变得吝啬小气；假如能施舍于他人而自己又不奢侈，能做到勤俭节约又不吝啬，那就可以了。

【原文】

生民之本，要当稼穑而食，桑麻以衣。蔬果之畜，园场之所产；鸡豚之善，埘(shí)圈之所生。爰及栋宇器械，樵苏脂烛，莫非种植之物也。至能守其业者，闭门而为生之具以足，但家无盐井耳。今北土风俗，率能躬俭节用，以赡衣食；江南奢侈，多不逮焉。

【译文】

人民生存的根本，应当是种植庄稼而收获食物，种植桑麻以纺织

衣服。蔬菜瓜果的积储，来自于果园菜圃的生产；鸡肉、猪肉等美食，来自于鸡窝猪圈的畜养。乃至房屋器械、柴草脂烛等，无不都来源于种植的产物。至于那些善于掌管家业的人，不用出门，生活所需的物品就足够用了，只是家中没有盐井罢了。现在北方人的风俗，大都能勤俭节约，以保障衣食所需；而江南一带风尚奢侈，多数比不上北方人会持家。

【原文】

梁孝元世，有中书舍人，治家失度，而过严刻，妻妾遂共货刺客，伺醉而杀之。

【译文】

梁朝孝元帝时，有一个中书舍人，治家有失法度，过于严厉苛刻，他的妻妾就共同收买刺客，趁他喝醉时把他杀了。

【原文】

世间名士，但务宽仁；至于饮食饷馈，僮仆减损，施惠然诺，妻子节量，狎侮宾客，侵耗乡党：此亦为家之巨蠹矣。

【译文】

世上有些名士，只知一味宽容仁厚，以至于日常饮食和用来馈赠亲友的东西，童仆都从中减质减量，答应接济他人的钱物，妻妾子女也要从中减省克扣，甚至发生轻视、侮弄宾客，鱼肉乡邻百姓的事情，这也是家庭的大害啊。

【原文】

齐吏部侍郎房文烈，未尝嗔怒。经霖雨绝粮，遣婢籴米，因尔逃窜，三四许日，方复擒之。房徐曰："举家无食，汝何处来？"竟无捶挞。尝寄人宅，奴仆彻屋为薪略尽，闻之颦蹙，卒无一言。

【译文】

齐朝的吏部侍郎房文烈，从未对人发过怒。一次家中因久雨断粮，他派一个婢女去买米，那个婢女借此机会逃走了，过了三四天后，方才又捉住她。房文烈平心静气地对她说："全家人都没吃的了，你从哪里回来的？"竟然没有要责打她的意思。房文烈曾将自己的住宅托付给别人，奴婢们把房屋里的东西当柴烧，都几乎烧完了，他知道后也仅仅是皱了皱眉头，始终没说一句话。

【原文】

裴子野有疏亲故属饥寒不能自济者，皆收养之。家素清贫，时逢水旱，二石米为薄粥，仅得遍焉，躬自同之，常无厌色。邺下有一领军，贪积已甚，家僮八百，誓满一千；朝夕每人肴膳，以十五钱为率，遇有客旅，更无以兼。后坐事伏法，籍其家产，麻鞋一屋，弊衣数库，其余财宝，不可胜言。南阳有人，为生奥博，性殊俭吝。冬至后女婿谒之，乃设一铜瓯酒，数脔（luán）獐肉；婿恨其单率，一举尽之。主人愕然，俛仰命益，如此者再；退而责其女曰："某郎好酒，故汝常贫。"及其死后，诸子争财，兄遂杀弟。

【译文】

裴子野每当有远亲旧属陷于饥寒而不能自救时，都尽力收养他们。家里素来清贫，有时碰上水旱灾害，用二石米煮成很稀的粥，才勉强能让大家都喝上。裴子野自己也一同喝粥，从没有厌烦的表情。邺下有一个领军将军，贪婪地积聚财富已很过分，有家奴八百人，他还发誓要达到一千人；每人早晚的饮食开支，都以十五钱为标准，遇到有客人来，便无法多拿一点出来招待。后来他因犯罪被查办，没收他的家产时，发现他家收藏了整整一屋麻鞋，几仓库破旧衣服，其余财宝更是多得没法说。南阳有一个人善于营生，积累丰厚，但性情特别吝啬。冬至以后，他的女婿来拜见他，他只摆设了一小铜壶酒和几小片獐子肉来招待。女婿嫌他过于小气，就把酒肉一下子全吃了。南阳人惊呆了，过一会儿叫人给女婿添加食物，接着又添了一次。退席后他就责备女儿说："你丈夫爱喝酒，所以你才经常处于贫困当中。"等到这个人死后，儿子们相互争夺财产，哥哥竟把弟弟给杀了。

【原文】

妇主中馈，惟事酒食衣服之礼耳，国不可使预政，家不可使干蛊。如有聪明才智，识达古今，正当辅佐君子，助其不足，必无牝鸡晨鸣，以致祸也。

【译文】

妇女主持家务，只要操办好酒食衣服等礼法规定的事项就行了。一个国家不可以让妇女干预国政，一个家庭不可以让妇女掌管家政。如果有聪明能干、通晓古今的妇女，正应当辅佐好自己的丈夫，弥补他的不足，这样就必然不会有像母鸡代替公鸡报晓一样的事发生，导致家庭悲剧。

【原文】

江东妇女，略无交游，其婚姻之家，或十数年间，未相识者，惟以信命赠遗，致殷勤焉。邺下风俗，专以妇持门户，争讼曲直，造请逢迎，车乘填街衢，绮罗盈府寺，代子求官，为夫诉屈。此乃恒、代之遗风乎？南间贫素，皆事外饰，车乘衣服，必贵齐整；家人妻子，不免饥寒。河北人事，多由内政，绮罗金翠，不可废阙，羸马悴奴，仅充而已；倡和之礼，或尔汝之。

【译文】

江东的妇女，很少结交朋友，即使是儿女亲家之间，有的结亲十余年了，也相互还有不认识的人，一般都只以书信问候，或派人互赠礼品来表达情意。而邺下的风俗，却专靠妇女来主持家务，她们亲自出面与别人争论是非曲直，或到处应酬交际，她们坐的车子挤满了大街小巷，她们穿的丝绸衣裙充盈官府，有的代儿子求官，有的为丈夫申冤。这也许是北魏时恒州、代郡一带的遗风吧？南方即使是贫寒人家，也都注重出门时外表的装饰，车辆和衣服等用品一定要完备；而家人妻儿，却免不了受饥寒之苦。而河北一带人家的交际活动，多由妇女出面，因此妇女们穿的绫罗绸缎，戴的珠宝首饰，是不可以没有或缺少的。至于使用瘦弱的马匹和憔悴的奴仆，那不过是为了充数而已；夫妻之间的日常交谈，有的就随便得以你我相称。

【原文】

河北妇人，织纴(rèn)组紃(xún)之事，黼(fǔ)黻(fú)锦绣罗绮之工，大优于江东也。

【译文】

黄河以北的妇女，在纺织方面的手艺，以及刺绣、织锦的精巧方面，都大大优于江东的妇女。

【原文】

太公曰："养女太多，一费也。"陈蕃曰："盗不过五女之门。"女之为累，亦以深矣。然天生蒸民，先人传体，其如之何？世人多不举女，贼行骨肉，岂当如此，而望福于天乎？吾有疏亲，家饶妓媵，诞育将及，便遣阍竖守之。体有不安，窥窗倚户，若生女者，辄持将去；母随号泣，莫敢救之，使人不忍闻也。

【译文】

姜太公说过："抚养女孩子太多，实在是一种耗费。"陈蕃也说过："连贼都不去养有五个以上女儿的人家偷窃。"女儿对家庭的拖累，也太深重了。然而天生众民，有男有女，女子也是先人遗传下来的骨肉，

对此能怎么样呢？世上的人大多不愿生养女孩子，有的甚至残害自己的女儿，难道这样做，还指望老天会降福给他们吗？我有一个远房亲戚，他家有很多姬妾，每当她们要生孩子时，就派家仆守在房门外。待她们身体一有要临产的动静，就从窗口窥视或等在门边，假如见到生下的是女婴，就立刻把孩子抱走，母亲只有号哭，无人敢去解救生下的女婴，这种惨景真使人不忍听闻啊。

【原文】

妇人之性，率宠子婿而虐儿妇。宠婿，则兄弟之怨生焉；虐妇，则姊妹之谗行焉。然则女之行留，皆得罪于其家者，母实为之。至有谚云："落索阿姑餐。"此其相报也。家之常弊，可不诫哉！

【译文】

妇女的性情，大都宠爱女婿而虐待儿媳。宠爱女婿就会使兄弟们产生怨恨，虐待儿媳就会使姊妹们的谗言得逞。既然这样，那么女子不论是嫁到婆家还是留在娘家，都要得罪家里人，这实际上都是母亲造成的。以至于有谚语说："最冷落萧索的就是婆婆吃饭啊。"这就是宠婿虐媳的报应。这些都是许多家庭常有的弊端，能不引以为戒吗？

【原文】

婚姻素对，靖侯成规。近世嫁娶，遂有卖女纳财，买妇输绢，比量父祖，计较锱铢，责多还少，市井无异。或猥婿在门，或傲妇擅室，贪荣求利，反招羞耻，可不慎欤！

【译文】

男女婚配要找清白有家教的人家，这是我家祖上靖侯立下的规矩。近年来世人嫁女娶妇，只讲求财物，以致有的卖女儿以收财物，有的为买媳妇而拿出彩礼，互相攀比衡量对方父辈和祖上的门第，斤斤计较对方的钱财，要求的多而回报的少，与在市场上买卖货物没有两样。结果有的招了个猥琐卑劣的女婿上门，有的娶了个凶悍傲慢的媳妇主宰家政。因为贪图荣华追求钱财，反而招来羞耻，嫁娶之事能不慎重吗？

【原文】

借人典籍，皆须爱护，先有缺坏，就为补治，此亦士大夫百行之一也。济阳江禄，读书未竟，虽有急速，必待卷束整齐，然后得起，故无损败，人不厌其求假焉。或有狼籍几案，分散部帙，多为童幼婢妾之所点污，风雨虫鼠之所毁伤，实为累德。吾每读圣人之书，未尝不肃敬对之；其故纸有《五经》词义，及贤达姓名，不敢秽用也。

【译文】

借了别人的书籍，都必须加以爱护，如果原先就有缺损残破，要马上修补完好，这也是士大夫立身处世的行为准则之一。济阳的江禄，读一卷书没结束时，虽然有急事要办，也必定要等到把书籍收拾整齐之后才离开，所以书籍从没有损坏，别人也就不讨厌他来借书。有的人将书籍散乱堆放于几案上，一套书分散乱放，以致书大多被小孩和婢女侍妾们弄脏，或者被风雨侵蚀和蛀虫、老鼠损坏，这实在是有损德行的事。我每次读圣贤的书时，从来没有不肃然起敬地去看的；如果旧纸上写有《五经》的词义和圣贤的姓名，我绝不敢亵渎乱用。

【原文】

吾家巫觋（xí）祷请，绝于言议；符书章醮（jiào），亦无祈焉，并汝曹所见也。勿为妖妄之费。

【译文】

我家对于请巫医神汉向鬼神祈祷求福消灾之事，从来没人提起；也不请道士画符祈神，这些都是你们所见到的。你们可不要花钱去做这种妖巫虚妄的事。

风操第六

【原文】

吾观《礼经》，圣人之教：箕帚匕箸，咳唾唯诺，执烛沃盥，皆有节文，亦为至矣。但既残缺，非复全书；其有所不载，及世事变改者，学达君子，自为节度，相承行之，故世号士大夫风操。而家门颇有不同，所见互称长短；然其阡陌，亦自可知。昔在江南，目能视而见之，耳能听而闻之；蓬生麻中，不劳翰墨。汝曹生于戎马之间，视听之所不晓，故聊记录，以传示子孙。

【译文】

我看《礼经》上圣人的教诲：在长辈面前如何使用簸箕扫帚，进餐时如何拿汤匙和筷子，在长辈面前咳唾、应答问话等行为态度，以至为长辈持烛照明、端水洗手等日常小事，都有明确的礼节规定，可以说是极为详备了。但此书已经残缺，不再是全本了。那上面还有未能记载的某些礼节规矩，以及随社会变动而改变了的礼节。所以学问通达的君子，就自己定下一些礼法节度，互相承袭实行，从而被社会上称为士大夫风操。虽然因各自家庭情况颇有不同，见解也不一致，因而互相推长话短，但他们修身养性的路径，却是可以知道的。从前在江南的时候，眼睛都能看到，耳朵都能听到，就像蓬草生长在麻中，不扶也会长得直一样，不用多费笔墨教育。你们生长于战争年代，有些礼节看不到也听不到，所以我姑且记录下来以传给子孙后代看。

【原文】

《礼》云："见似目瞿，闻名心瞿。"有所感触，恻怆心眼；若在从容平常之地，幸须申其情耳。必不可避，亦当忍之；犹如伯叔兄弟，酷类先人，可得终身肠断，与之绝耶？又："临文不讳，庙中不讳，君所无私讳。"益知闻名，须有消息，不必期于颠沛而走也。梁世谢举，甚有声誉，闻讳必哭，为世所讥。又有臧逢世，臧严之子也，笃学修行，不坠门风。孝元经牧江州，遣往建昌督事，郡县民庶，竞修笺书，朝夕辐辏，几案盈积，书有称"严寒"者，必对之流涕，不省取记，多废公事，物情怨骇，竟以不办而还。此并过事也。

【译文】

《礼记》说："见到与亡故的父母相像的人或听到与亡故的父母相同的名字，心中都会突然感到惊骇。"这是因为有所感触，自然引发的内心哀伤；若在日常与人交往中，就必须说明悲伤的原因。即使在一些无法避开家讳的时候，也应当强制忍耐不表露出来。这就像自己的伯、叔、兄弟等人，酷似先人，难道可以一辈子因此伤心断肠，而断绝和他们来往吗？《礼记》中又说："写文章时不避讳，在祖庙中说祝词时不避讳，与国君谈话时不避自己父母的讳。"由此可知，在听到有关先祖的名字时，必须要斟酌一下当时的具体情况，而不必狼狈地避开离去。梁朝的谢举，很有声誉，只要一听到先父先母的名讳就会失声痛哭，被当时的人所讥笑。还有臧逢世，他是臧严的儿子，学习勤奋而有品行修养，不失其好门风。梁元帝在当江州刺史的时候，派他到建昌督察有关事宜，郡县的士民百姓，竞相上书言事，从早到晚聚满了公堂，几案上堆满了文书，凡是书信中写有“严寒”字样的，臧逢世都必定对着书信流泪哭泣，而不能审察其中到底有无可取可记的事项，因此多次荒废了公事，以致大家都为之怨恨惊骇，结果臧逢世因办不好公事而被遣还。这些都是过分讲究避讳的事。

【原文】

近在扬都，有一士人讳审，而与沈氏交结周厚，沈与其书，名而不姓，此非人情也。

【译文】

近来在扬都，有一士人忌讳“审”字，而他又与一个姓沈的人交情深厚。姓沈的给他写信时，为避他的讳而只署自己的名而不写上姓，这就不合人情了。

【原文】

凡避讳者，皆须得其同训以代换之：桓公名白，博有五皓之称；厉王名长，琴有修短之目。不闻谓布帛为布皓，呼肾肠为肾修也。梁武小名阿练，子孙皆呼练为绢；乃谓销炼物为销绢物，恐乖其义。或有讳云者，呼纷纭为纷烟；有讳桐者，呼梧桐树为白铁树，便似戏笑耳。

【译文】

凡是要避讳的字，都应该找和原字意义相同的字来代替：如齐桓公名叫小白，博戏中的“五白”就被称为“五皓”；西汉淮南厉王名“长”，他的儿子刘安编著《淮南子》时，就把琴的长短说成“修短”。但却从没

听说谁把布帛称为“布皓”，把肾肠称为“肾修”的。梁武帝小名叫阿练，他的子孙都称练为绢，假如把“销炼物”称为“销绢物”，恐怕就违背原意了。还有讳“云”字的，把“纷纭”称为“纷烟”；有讳“桐”字的，把“梧桐树”称为“白铁树”，这便近似于开玩笑了。

【原文】

周公名子曰禽，孔子名儿曰鲤，止在其身，自可无禁。至若卫侯、魏公子、楚太子，皆名虮虱；长卿名犬子，王修名狗子，上有连及，理未为通，古之所行，今之所笑也。北土多有名儿为驴驹、豚子者，使其自称及兄弟所名，亦何忍哉？前汉有尹翁归，后汉有郑翁归，梁家亦有孔翁归，又有顾翁宠；晋代有许思妣、孟少孤，如此名字，幸当避之。

【译文】

周公给儿子取名叫伯禽，孔子给儿子取名叫鲤，这类名字的意义只限于他们儿子自身，自然可以没什么禁忌地使用。至于像卫侯、魏国公子、楚国太子的名字都叫虮虱，司马相如的小名叫犬子，王修的小名叫狗子，这牵连到他们的父辈，在道理上是讲不通的。古人的一些做法，现在的人觉得可笑。北方人多有给儿子取小名为驴驹、小猪的，让儿子自称这样的名字，以及让他的兄弟也这样叫他，又怎么能忍心呢？前汉有个人叫尹翁归，后汉有个郑翁归，梁朝也有叫孔翁归的，又有叫顾翁宠的；晋代有人叫许思妣、孟少孤的，像这样的名字，还是应当避免才好。

【原文】

今人避讳，更急于古。凡名子者，当为孙地。吾亲识中有讳襄、讳友、讳同、讳清、讳和、讳禹，交疏造次，一座百犯，闻者辛苦，无憀(liáo)赖焉。

【译文】

现在的人对于避讳，比古代更加讲究。凡是为儿子取的名字，都应当为孙辈们留些余地。在我所亲近熟识的人中，有讳“襄”字、讳“友”字、讳“同”字、讳“清”字、讳“和”字、讳“禹”字等常用字的，大家聚会的时候，避讳很多，那些交往少的人一不小心，说话时就有可能触犯了在座某人的忌讳，这样听话的人难免悲伤，说话的人为此无所适从。

【原文】

昔司马长卿慕蔺相如，故名相如，顾元叹慕蔡邕，故名雍，而后汉有朱伥字孙卿，许暹字颜回，梁世有庾晏婴、祖孙登，连古人姓为名字，亦鄙事也。

【译文】

从前司马长卿因仰慕蔺相如，所以取名为相如。顾元叹仰慕蔡邕，所以取名为雍。而东汉有朱伥字孙卿，许暹字颜回，梁朝有人叫庾晏婴、祖孙登，这些人连古人的姓都一起拿来做了自己的名或字，这就是很庸俗浅薄的做法了。

【原文】

昔刘文饶不忍骂奴为畜产，今世愚人遂以相戏，或有指名为豚犊者。有识傍观，犹欲掩耳，况当之者乎？

【译文】

从前，刘文饶不忍心辱骂奴仆为畜生，而现在一些愚蠢的人，却以此互相戏骂，还有人指名道姓说谁是猪儿牛犊的。有识之士在旁边看到了，都想掩住耳朵不听，何况那些当事人呢？

【原文】

近在议曹，共平章百官秩禄，有一显贵，当世名臣，意嫌所议过厚。齐朝有一两士族文学之人，谓此贵曰："今日天下大同，须为百代典式，岂得尚作关中旧意？明公定是陶朱公大儿耳？"彼此欢笑，不以为嫌。

【译文】

最近我在议曹一起商议百官的品级俸禄的问题，有一个显要的权贵，是当代名臣，他认为大家商议的俸禄标准过于优厚了。北齐有一两个教士族子弟文学的人，对这位权贵说："现在天下统一，应为后代做出典范，岂能还按原来在关中时的那一套办事呢？您一定是像陶朱公的大儿子一样小气吧！”大家听了一起欢笑，并不会因此而有什么嫌隙。

【原文】

昔侯霸之子孙，称其祖父曰家公；陈思王称其父为家父，母为家母；潘尼称其祖曰家祖：古人之所行，今人之所笑也。今南北风俗，言其祖及二亲，无云家者；田里猥人，方有此言耳。凡与人言，言己世父，以次第称之，不云家者，以尊于父，不敢家也。凡言姑姊妹女子子：已嫁，则以夫氏称之；在室，则以次第称之。言礼成他族，不得云家也。子孙不得称家者，轻略之也。蔡邕书集，呼其姑姊为家姑家姊；班固书集，亦云家孙：今并不行也。

【译文】

从前侯霸的子孙，称他们的祖父为家公；陈思王曹植称他父亲为家父，母亲为家母；潘尼称他的祖上为家祖。古人的这些称呼，已被今人当作笑料了。现在南北风俗，称呼祖上和父母亲时，没有谁说“家”字。只有那些村野中的鄙贱之人，才会有这样的称呼。凡是与人交谈，谈到自己的伯父时，就按照父辈中的排行来称呼他，不冠以“家”字的原因，是因为伯父尊于父亲，所以不敢称“家”。凡是说及姑母、姊妹等女子时：已经出嫁的，就用丈夫家的姓氏来称呼她；没出嫁的，就按辈分及排行顺序称呼她。也就是说女子出嫁后就成为婆家的人，故不能称“家”。对于子孙不能称“家”的原因，是因为对晚辈的轻视。蔡邕的书信集中，称呼他的姑母、姐姐为“家姑”、“家姊”；班固的书信集中也说到“家孙”。现在都不这么称呼了。

【原文】

凡与人言，称彼祖父母、世父母、父母及长姑，皆加尊字，自叔父母以下，则加贤字，尊卑之差也。王羲之书，称彼之母与自称己母同，不云尊字，今所非也。

【译文】

凡是和别人交谈，称呼对方的祖父母、伯父母、父母及年长的姑母，都要在称呼前加“尊”字。从对方叔父母以下，则在称呼前加“贤”字，这是为了表明尊卑差别。王羲之在信中，称对方的母亲与称自己的母亲相同，在称呼前不加“尊”字，现在的人认为这是不对的。

【原文】

南人冬至岁首，不诣丧家；若不修书，则过节束带以申慰。北人至岁之日，重行吊礼；礼无明文，则吾不取。南人宾至不迎，相见捧手而不揖，送客下席而已；北人迎送并至门，相见则揖，皆古之道也，吾善其迎揖。

【译文】

南方人在冬至、岁首这两个节日里，是不到办丧事的人家去吊唁的；如果不写信致哀的话，就过了节再穿戴整齐去表示慰问。北方人在冬至、岁首这两个节日中，却特别重视吊唁活动，这在礼仪上没有明文记载，而我是不赞同的。南方人有客人来家时不去迎接，见面时只是拱手而不行礼，送客仅仅离开座席而已；北方人迎送客人要到门口，相见时作揖行礼，这些都是古代的遗风，我赞许他们这种迎来送往的礼节。

【原文】

昔者，王侯自称孤、寡、不穀，自兹以降，虽孔子圣师，与门人言皆称名也。后虽有臣、仆之称，行者盖亦寡焉。江南轻重，各有谓号，具诸《书仪》；北人多称名者，乃古之遗风，吾善其称名焉。

【译文】

过去，王公诸侯都自称孤、寡、不穀，从那以后，即使是孔子那样的至圣先师，与学生谈话时也都自称名字。后来虽然有人自称臣、仆，但这样做的人大概也不多。江南的人不论地位高低，都各有称号，这都记载在《书仪》这种书中；北方人多自称其名，这是古人的遗风，我赞许他们这种自称其名的做法。

【原文】

言及先人，理当感慕，古者之所易，今人之所难。江南人事不获已，须言阀阅，必以文翰，罕有面论者。北人无何便尔话说，及相访问。如此之事，不可加于人也。人加诸己，则当避之。名位未高，如为勋贵所逼，隐忍方便，速报取了；勿使烦重，感辱祖父。若没，言须及者，则敛容肃坐，称大门中，世父、叔父则称从兄弟门中，兄弟则称亡者子某门中，各以其尊卑轻重为容色之节，皆变于常。若与君言，虽变于色，犹云亡祖、亡伯、亡叔也。吾见名士，亦有呼其亡兄弟为兄子弟子门中者，亦未为安贴也。北土风俗，都不行此。太山羊侃，梁初入南；吾近至邺，其兄子肃访侃委曲，吾答之云："卿从门中在梁，如此如此。"肃曰："是我亲第七亡叔，非从也。"祖孝徵在坐，先知江南风俗，乃谓之云："贤从弟门中，何故不解？"

【译文】

说到先辈时，按理应当产生思念仰慕之情，这在古人是很容易的，而今天的人却感到困难。江南人在迫不得已的时候，需要与人谈及家世，必定是以书信的形式，很少有当面谈论的。北方人却无缘无故地找人聊天，甚至到家中相访。像这种谈及家世的事，是不要施加于别人的。如果别人把这样的事施加于你，你也应该设法避开它。你们名声地位都不高，如果是被权贵所逼迫而必须言及家世，可以隐忍敷衍一下，赶快作答，结束谈话；不要让这种谈话烦琐重复，以免有辱自家祖辈父辈。如果自己的祖父、父亲已经去世，谈话中又必须提到他们时，就要表情严肃，端正坐姿，口称"大门中"，对伯父、叔父则称"从兄弟门中"，对已过世的兄弟，则称兄弟的儿子"某某门中"，并且要各自依照他们的尊卑轻重，来确定自己在表情上应掌握的分寸，但表情都要与平常有所不同。如果是同国君谈话提及自己过世的长辈，虽然表情上也有所改变，但还是可以说"亡祖、亡伯、亡叔"等称谓。我看见一些名士，与国君谈话时，也有称他的亡兄亡弟为兄之子"某某门中"或弟之子"某某门中"的，这也是不妥当的。北方的风俗，就完全不是这样。泰山的羊侃，是在梁朝初年到南方来的。我最近到邺城，他哥哥的儿子羊肃来访，问及羊侃的具体情况，我回答他说："您从门中在梁朝时，具体情况是这样的。"羊肃说："他是我嫡亲的第七亡叔，不是'从'。"祖孝徵当时也在座，他早就知道江南的风俗，就对羊肃说："就是指贤从弟门中，您怎么不明白？"

【原文】

古人皆呼伯父叔父，而今世多单呼伯叔。从父兄弟姊妹已孤，而对其前，呼其母为伯叔母，此不可避者也。兄弟之子已孤，与他人言，对孤者前，呼为兄子弟子，颇为不忍；北土人多呼为侄。案：《尔雅》《丧服经》《左传》，侄虽名通男女，并是对姑之称。晋世已来，始呼叔侄；今呼为侄，于理为胜也。

【译文】

古代人都称呼伯父、叔父，而现在多只单称伯、叔。堂兄弟、姊妹死去父亲后，在他们面前，称他们的母亲为伯母、叔母，这是无从回避的。兄弟去世，他们的儿女成了孤儿，你与别人谈话时，当着他们的面，称他们为兄之子或弟之子，就很不忍心；北方人多数称他们为侄儿。据考证：在《尔雅》《丧服经》《左传》等书中，侄这个称呼虽然男女通用，但都是姑姑对兄弟的子女的称呼。晋代以来，才开始称叔侄。现在全都统称为侄，从道理上说是恰当的。

【原文】

别易会难，古人所重；江南饯送，下泣言离。

有王子侯，梁武帝弟，出为东郡，与武帝别，帝曰："我年已老，与汝分张，甚以恻怆。"数行泪下。侯遂密云，赧然而出。坐此被责，飘飖（yáo）舟渚，一百许日，卒不得去。北间风俗，不屑此事，歧路言离，欢笑分首。然人性自有少涕泪者，肠虽欲绝，目犹烂然；如此之人，不可强责。

【译文】

别时容易见时难，所以古人对离别很重视。江南人在为人饯行送别时，谈到分离就掉眼泪。有一位王子侯，是梁武帝的弟弟，将到东边的郡上去任职，与武帝告别时，武帝对他说："我已年老了，与你分别，真感到伤心。"说着说着，几行眼泪就往下掉。王子侯虽然表情沉重，却挤不出眼泪，只好红着脸离开了王宫。他因为这件事被指责，在舟船岸渚间飘荡了一百多天，最终还是不能离开。北方地区的风俗，就不看重这种事，在岔路口谈起别离，都是欢笑着分手。当然，有些人天性本来就很少流泪，他们有时悲痛到肠断欲绝，眼睛仍是炯炯有神；像这样的人，就不可勉强去要求他。

【原文】

凡亲属名称，皆须粉墨，不可滥也。无风教者，其父已孤，呼外祖父母与祖父母同，使人为其不喜闻也。虽质于面，皆当加外以别之；父母之世叔父，皆当加其次第以别之；父母之世叔母，皆当加其姓以别之；父母之群从世叔父母及从祖父母，皆当加其爵位若姓以别之。河北士人，皆呼外祖父母为家公家母；江南田里间亦言之。以家代外，非吾所识。

【译文】

凡是自家亲属的名字，都应该加以修饰，不可滥用。有些缺乏教养的人，在祖父母去世后，对外祖父、外祖母的称呼竟与祖父、祖母一个样，听了让人很不高兴。即使是当着外祖父、外祖母的面，也都应加“外”字以示区别；父母亲的伯父、叔父，都应当在称呼前加上排行顺序以示区别；父母亲的伯母、婶母，都应当在称呼前加上她们的姓以示区别；父母亲的子侄辈的伯父、叔父、伯母、婶母以及他们的从祖父母，都应当在称呼前加上他们的爵位和姓以示区别。河北的男子，都称外祖父、外祖母为家公、家母；江南的乡间也是这样称呼。用“家”来代替“外”，这我就弄不懂了。

【原文】

凡宗亲世数，有从父，有从祖，有族祖。江南风俗，自兹已往，高秩者，通呼为尊；同昭穆者，虽百世犹称兄弟；若对他人称之，皆云族人。河北士人，虽三二十世，犹呼为从伯从叔。梁

武帝尝问一中土人曰："卿北人，何故不知有族？"答云："骨肉易疏，不忍言族耳。"当时虽为敏对，于礼未通。

【译文】

同宗之亲的世系辈数，有从父，有从祖，有族祖。江南的风俗，从本世往上数，对官职高的，通称为尊；同宗又同辈分的，即使隔了一百代，仍然互称兄弟；如果是对别人称呼自己宗族的人，则都称族人。河北地区的男子，虽然已隔了二三十代，仍然称作从伯父、从叔父。梁武帝曾经问一位中原人说："你是北方人，为什么不知道有'族'这一称呼呢？"中原人回答说："亲属骨肉之间的关系容易疏远，所以我不忍心用'族'来称呼。"这在当时虽然是一种机敏的回答，但从礼仪上却是讲不通的。

【原文】

吾尝问周弘让曰："父母中外姊妹，何以称之？"周曰："亦呼为丈人。"自古未见丈人之称施于妇人也。吾亲表所行，若父属者，为某姓姑；母属者，为某姓姨。中外丈人之妇，猥俗呼为丈母，士大夫谓之王母、谢母云。而《陆机集》有《与长沙顾母书》，乃其从叔母也，今所不行。

【译文】

我曾经问周弘让说："父母亲的中表姊妹，你怎样称呼她们？"周弘让回答说："也把她们称作丈人。"自古以来没有见过用"丈人"称呼妇人的。我的亲表们所奉行的称呼是，如果是父亲的中表姊妹，就称她为某姓姑；如果是母亲的中表姊妹，就称她为某姓姨。中表长辈的妻子,俚俗称她们为丈母,士大夫则称她们为王母、谢母等等。而《陆机集》中有《与长沙顾母书》,其中顾母就是陆机的从叔母,现在不这样称呼了。

【原文】

齐朝士子,皆呼祖仆射为祖公,全不嫌有所涉也,乃有对面以相戏者。

【译文】

齐朝的士大夫们,都称尚书左仆射祖珽为祖公,完全不在乎这样称呼会与祖父的称呼有牵连,甚至还有当着祖珽的面用这种称呼开玩笑的。

【原文】

古者,名以正体,字以表德,名终则讳之,字乃可以为孙氏。孔子弟子记事者,皆称仲尼;吕后微时,尝字高祖为季;至汉爰种,字其叔父曰丝;王丹与侯霸子语,字霸为君房;江南至今不讳字也。河北士人全不辨之,名亦呼为字,字固呼为字。尚书王元景兄弟,皆号名人,其父名云,字罗汉,一皆讳之,其余不足怪也。

【译文】

古时候,名是用来表明自身的,字是用来表示德行的,名在形体消亡后就应对之避讳,字却可以作为孙辈的氏。孔子的弟子在记录孔子的言行时,都称他为"仲尼";吕后贫贱的时候,曾经称汉高祖刘邦的字"季";到汉代的爰种,称他叔叔的字"丝";王丹与侯霸的儿子说话时,称侯霸的字“君房”；江南至今不避讳称字。河北的士大夫们对名和字完全不加区别，名也称作字，字当然更称作字。尚书王元景兄弟，都号称是有名望的人，他俩的父亲名叫王云，字罗汉，他们对父亲的名和字全都加以避讳，其他的人避讳，就不足为怪了。

【原文】

《礼·间传》云：“斩缞(cuī)之哭，若往而不反；齐缞之哭，若往而反；大功之哭，三曲而偯(yǐ)；小功缌麻，哀容可也，此哀之发于声音也。”《孝经》云：“哭不偯。”皆论哭有轻重质文之声也。礼以哭有言者为号，然则哭亦有辞也。江南丧哭，时有哀诉之言耳；山东重丧，则唯呼苍天；期功以下，则唯呼痛深，便是号而不哭。

【译文】

《礼记·间传》中说：“披戴斩缞孝服的人哭泣，一声痛哭便至气尽，就像有去无还的样子；披戴齐缞孝服的人哭泣，声音一高一低连续不断，好像有去有来；披戴大功孝服的人哭泣，每一声有几个高低，最后还要拉长余音；披戴小功或缌麻孝服的人，只要哭得有悲哀的表情就可以了。这些就是不同程度的悲哀在声音上的表现。”《孝经》上说：“孝子痛哭父母的哭声，气竭而止，不会发出余音。”这些话是论说哭声有轻微、沉重、质朴、和缓等种种区别。按礼俗来说，哭时杂有言语者叫作号，如此则哭泣也可以带有言辞。江南地区在丧事哭泣时，经常杂有哀诉的话语；山东一带在服斩缞重丧中，哭泣时只是呼叫苍天，披戴齐缞、大功、小功以下丧服的人，哭泣时便只是倾诉自己的悲痛多么深重，这就是号而不是哭。

【原文】

江南凡遭重丧，若相知者，同在城邑，三日不吊则绝之；除丧，虽相遇则避之，怨其不己悯也。有故及道遥者，致书可也；无书亦如之。北俗则不尔。江南凡吊者，主人之外，不识者不执手；识轻服而不识主人，则不于会所而吊，他日修名诣其家。

【译文】

江南的风俗，凡遭逢重丧的人家，如果是与他家相识的人，又同住在一个城镇里，三天之内不去丧家吊丧，丧家就会与他断绝交往；即使解除丧服之后，丧家的人与他在路上相遇，也要避开他，因为怨恨他不同情自己。如果是另有原因或路程遥远而不能前来吊丧的，写信表示慰问也是可以的；如果连书信也不写，丧家也会像对待不亲自来吊丧的人一样对待他。北方的风俗则不是这样。江南地区凡来吊丧者，除了主人之外，对不认识的人是不握手的；如果吊丧者只认识披戴较轻丧服的人而不认识主人，就不到治丧的地方去吊唁，而是改日准备好名刺再到丧家去表示慰问。

【原文】

阴阳说云："辰为水墓，又为土墓，故不得哭。"王充《论衡》云："辰日不哭，哭必重丧。"今无教者，辰日有丧，不问轻重，举家清谧，不敢发声，以辞吊客。道书又曰："晦歌朔哭，皆当有罪，天夺其算。"丧家朔望，哀感弥深，宁当惜寿，又不哭也？亦不谕。

【译文】

阴阳家说："辰为水墓，又为土墓，所以辰日不得哭泣。"王充的《论衡》说："辰日不能哭泣，哭泣就一定是重丧。"而今那些没有教养的人，辰日有丧事，不问轻丧重丧，全家都静悄悄的，不敢发出声音，谢绝吊丧的客人。道家的书说："晦日唱歌，朔日哭泣，都是有罪的，上天会减掉他们的寿命。"丧家在朔日、望日，痛哭的感情特别深切，难道因为珍惜寿命，就不哭泣了吗？我也弄不明白。

【原文】

偏傍之书，死有归杀。子孙逃窜，莫肯在家；画瓦书符，作诸厌胜；丧出之日，门前然火，户外列灰，祓（fú）送家鬼，章断注连。凡如此比，不近有情，乃儒雅之罪人，弹议所当加也。

【译文】

旁门左道的书说，人死之后灵魂要返家一次。这一天子孙们都逃避在外，没有人肯留在家中；用画瓦和书符来镇邪，念咒语来驱鬼；出丧那一天，门前要烧火，屋外要铺灰，要进行种种仪式以送走家鬼，上章给天曹以祈求断绝死者殃祸家人。诸如此类的例子，都不近人情，是儒雅君子的罪人，应当对此进行弹劾。

【原文】

己孤，而履岁及长至之节，无父，拜母、祖父母、世叔父母、姑、兄、姊，则皆泣；无母，拜父、外祖父母、舅、姨、兄、姊，亦如之：此人情也。

【译文】

失去了父亲或母亲，在过元旦及冬至这两个节日时，若是没有父亲的，在拜望母亲、祖父母、世叔父母、姑母、兄长、姐姐时，都要流泪；若是没有母亲的，在拜望父亲、外祖父母、舅舅、姨母、兄长、姐姐时，也要流泪：这是人之常情。

【原文】

江左朝臣，子孙初释服，朝见二宫，皆当泣涕；二宫为之改容。颇有肤色充泽，无哀感者，梁武薄其为人，多被抑退。裴政出服，问讯武帝，贬瘦枯槁，涕泗滂沱，武帝目送之曰："裴之礼不死也。"

【译文】

梁朝的大臣，他们的子孙刚脱下丧服，去朝见皇帝和太子的时候，都应该哭泣流泪；皇帝和太子会因此而改变面容。但也颇有一些肤色丰满光泽，没有一点哀痛感的人，梁武帝看不起他们的为人，这些人大多被压抑贬退。裴政脱下丧服，行僧礼朝见梁武帝，身体消瘦，形容枯槁，泪如雨下，梁武帝目送着他出去，说："裴之礼没有死啊。"

【原文】

二亲既殁，所居斋寝，子与妇弗忍入焉。北

朝顿丘李构，母刘氏，夫人亡后，所住之堂，终身锁闭，弗忍开入也。夫人，宋广州刺史纂之孙女，故构犹染江南风教。其父奖，为扬州刺史，镇寿春，遇害。构尝与王松年、祖孝徵数人同集谈宴。孝徵善画，遇有纸笔，图写为人。顷之，因割鹿尾，戏截画人以示构，而无他意。构怆然动色，便起就马而去。举坐惊骇，莫测其情。祖君寻悟，方深反侧，当时罕有能感此者。吴郡陆襄，父闲被刑，襄终身布衣蔬饭，虽姜菜有切割，皆不忍食；居家惟以掐摘供厨。江宁姚子笃，母以烧死，终身不忍啖炙。豫章熊康，父以醉而为奴所杀，终身不复尝酒。然礼缘人情，恩由义断，亲以噎死，亦当不可绝食也。

【译文】

父母亲去世之后，他们生前斋戒时住过的房屋，儿子和媳妇都不忍心进去。北朝顿丘郡的李构，他母亲是刘氏，刘夫人死后，她生前所住的房子，李构终身将其锁闭，不忍心开门进去。刘氏是宋广州刺史刘纂的孙女，所以李构是受到江南风教的熏陶。他的父亲李奖，担任扬州刺史，镇守寿春，被人杀害。李构曾经与王松年、祖孝徵几个人聚在一起喝酒聊天。孝徵善于画画，又碰上有纸有笔，就画了一个人。过了一会儿，他因为割取宴席上的鹿尾，就开玩笑地把画的人像也割成几截给李构看，但并没有其他意思。李构却触景生情，想起了被害的父亲，悲伤得变了脸色，立刻起身乘马离去了。在座的人都十分惊讶，没有人能猜出其中的原因。但祖孝徵随即就明白了，才深感惶恐不安，当时却很少有人能感知这一点。吴郡的陆襄，他的父亲陆闲遭到刑戮，陆襄终身穿布衣吃素食，即便是生姜，如果用刀切割过，他都不忍心食用；家里人只用手掐摘蔬菜供烹调之用。江宁的姚子笃，因为母亲是被烧死的，所以他终身不忍心吃烤肉。豫章的熊康，父亲因酒醉被奴仆杀害，所以他终身不再尝酒。然而，礼是因为人的感情需要而定的，情分则可根据事理而决定，假如父母亲因为吃饭噎死了，也不至于因此绝食吧。

【原文】

《礼经》：父之遗书，母之杯圈，感其手口之泽，不忍读用。政为常所讲习，雠校缮写，及偏加服用，有迹可思者耳。若寻常坟典，为生什物，安可悉废之乎？既不读用，无容散逸，惟当缄保，以留后世耳。

【译文】

《礼经》上说：父亲遗留的书籍，母亲用过的口杯，感受到上面留有父母的手汗和气味，就不忍心阅读或使用。只因为这些东西是他们生前经常用来讲习、校对缮写以及特别偏爱使用的，总之是有迹象可引发哀思的东西。如果是平常所用的古书，或生活中常用物品，怎么能全部废弃它们呢？父母的遗物既然不阅读使用，也不要让它们散失亡逸，而应当封存保护，以留传给后代。

【原文】

思鲁等第四舅母，亲吴郡张建女也，有第五妹，三岁丧母。灵床上屏风，平生旧物，屋漏沾湿，出曝晒之，女子一见，伏床流涕。家人怪其不起，乃往抱持；荐席淹渍，精神伤怛，不能饮食。将以问医，医诊脉云："肠断矣！"因尔便吐血，数日而亡。中外怜之，莫不悲叹。

【译文】

思鲁几弟兄的四舅母，是吴郡张建的亲女儿，她有一位五妹，三岁时就失去了母亲。那灵床上的屏风，是她母亲平时使用的旧物。这屏风因屋漏被沾湿，被人拿出去曝晒，那女孩一见，就伏在床上流泪。家里人见她总不起来感到奇怪，就过去抱她起来，只见垫席已被泪水浸湿，女孩神色哀伤，已经不能够饮食。家人带她去看医生，医生看过脉后说："她已经伤心断肠了！"女孩因此吐血，几天后就死了。中表亲属都怜惜她，没有不悲伤叹息的。

【原文】

《礼》云："忌日不乐。"正以感慕罔极，恻怆无聊，故不接外宾，不理众务耳。必能悲惨自居，何限于深藏也？世人或端坐奥室，不妨言笑，盛营甘美，厚供斋食；迫有急卒，密戚至交，尽无相见之理：盖不知礼意乎！

【译文】

《礼记》说："忌日不作乐。"正因为有说不尽的感伤思慕，郁郁不乐，所以这个日子不接待宾客，不办理纷繁的事务。如果确能做到伤心独处，何必把自己深藏内室呢？有的人端坐于深宅之中，却并不妨碍他谈天说笑，尽情享用甜美食品，不断摆出精制素餐；可一旦有紧急的事发生，至爱亲朋们却全都没有和他见面的机会。这种人大概是不懂得礼的意义吧！

【原文】

魏世王修母以社日亡。来岁社日，修感念哀甚，邻里闻之，为之罢社。今二亲丧亡，偶值伏腊分至之节，及月小晦后，忌之外，所经此日，犹应感慕，异于余辰，不预饮宴、闻声乐及行游也。

【译文】

魏朝王修的母亲是在社日这天去世的。第二年的社日，王修思念亡母，十分哀痛，邻居们听说后，为此而停止了社日的活动。现在，父母亲去世的日子，如果正碰上伏祭、腊祭、春分、秋分、夏至、冬至这些节日，以及忌日的前后三天，忌月晦日的前后三天，除了忌日这天外，凡在上述的日子里，仍应对父母亲感怀思慕，与别的日子有所区别，应做到不参加宴饮、不听欢快的音乐以及不外出游玩。

【原文】

刘绍、缓、绥，兄弟并为名器，其父名昭，一生不为照字，惟依《尔雅》火旁作召耳。然凡文与正讳相犯，当自可避；其有同音异字，不可悉然。刘字之下，即有昭音。吕尚之儿，如不为上；赵壹之子，傥不作一：便是下笔即妨，是书皆触也。

【译文】

刘绍、刘缓、刘绥三兄弟，同为名人，他们的父亲名叫刘昭，所以兄弟三人一辈子都不写“照”字，只是依照《尔雅》用“火”旁加“召”来代替。然而凡文字与人的正名相同，当然应该避讳；如行文中出现同音异字，就不该全都避讳了。刘字的下半部分就有“昭”的音。如果吕尚的儿子不能写“上”字，赵壹的儿子不能写“一”字，便会一下笔就犯难，一写字就犯讳了。

【原文】

尝有甲设宴席，请乙为宾；而旦于公庭见乙之子，问之曰：“尊侯早晚顾宅？”乙子称其父已往。时以为笑。如此比例，触类慎之，不可陷于轻脱。

【译文】

曾经有某甲设下宴席，准备请某乙来做客；早上在官署见到乙的儿子，就问他说：“令尊大人几时可以光临寒舍？”某乙的儿子却回答说他父亲已经去了。当时传为笑柄。像类似的事例，凡碰上后就该慎重对待它，不可那样不稳重。

【原文】

江南风俗，儿生一期，为制新衣，盥浴装饰，男则用弓矢纸笔，女则刀尺针缕，并加饮食之物，及珍宝服玩，置之儿前，观其发意所取，以验贪廉愚智，名之为试儿。亲表聚集，致宴享焉。自兹已后，二亲若在，每至此日，尝有酒食之事耳。无教之徒，虽已孤露，其日皆为供顿，酣畅声乐，不知有所感伤。梁孝元年少之时，每八月六日载诞之辰，常设斋讲；自阮修容薨殁之后，此事亦绝。

【译文】

江南的风俗，孩子生下来一周年，就为他缝制新衣裳，给他洗澡后再梳妆打扮，对男孩要用弓、箭、纸、笔，对女孩要用剪子、尺子、针线等，还要加上一些饮食物品以及珍宝玩具等物，把它们放在孩子面前，观察他们想抓取的东西，以此来检验孩子今后是贪婪还是廉洁，是愚蠢还是聪明，这种风俗被称作“试儿”。这一天，亲戚们都聚在一起，设宴招待。从此以后，父母亲只要还在世，每到这个日子，就要置酒备饭，吃喝一顿。那些没有教养的人，有的虽然父母已不在世，到了这一天，也都要照常设宴请客，尽兴痛饮，纵情声乐，不知道还应该有所感伤。梁孝元帝年轻的时候，每到八月六日生日这天，常常是设斋坛讲经；自从他母亲阮修容去世之后，这种事就再也没有了。

【原文】

人有忧疾，则呼天地父母，自古而然。今世讳避，触途急切。而江东士庶，痛则称祢(nǐ)。祢是父之庙号，父在无容称庙，父殁何容辄呼？《苍颉篇》有“侑”(yáo)字，《训诂》云：“痛而謼(hū)也，音羽罪反。”今北人痛则呼之。《声类》音于耒反，今南人痛或呼之。此二音随其乡俗，并可行也。

【译文】

人有忧患疾病时，就呼喊天地父母，自古以来都是这样。现在的人讲究避讳，认为这样呼叫犯了忌讳。而江东的士人百姓，悲痛时就叫祢。祢是已故父亲的庙号，父亲在世时都不允许呼叫他的庙号，父亲死后怎能随意呼叫他的庙号呢？《苍颉篇》中有“侑”字，《训诂》解释说:“这是因悲痛而呼喊出的声音,读音是‘羽罪反’。”现在北方人悲痛时就呼叫这个音。《声类》注这个字的音是“于耒反”,现在南方人悲痛时有的就发这个音。这两个音随人们的乡俗而定,都是可行的。

【原文】

梁世被系劾者,子孙弟侄,皆诣阙三日,露跣(xiǎn)陈谢;子孙有官,自陈解职。子则草屩(juē)粗衣,蓬头垢面,周章道路,要候执事,叩头流血,申诉冤枉。若配徒隶,诸子并立草庵于所署门,不敢宁宅,动经旬日,官司驱遣,然后始退。江南诸宪司弹人事,事虽不重,而以教义见辱者,或被轻系而身死狱户者,皆为怨仇,子孙三世不交通矣。到洽为御史中丞,初欲弹刘孝绰,其兄溉先与刘善,苦谏不得,乃诣刘涕泣告别而去。

【译文】

梁朝被拘囚弹劾的人,他的子孙弟侄们,都要赶赴皇帝的殿廷,在那里整整三天,披头散发,光着脚,陈情请罪;如子孙中有做官的,就主动请求解除官职。他的儿子们则穿上草鞋和粗布衣服,蓬头垢面,惊恐不安地守候在道路上,拦住主管官员,叩头流血,申诉冤枉。如果这人被发配去服苦役,儿子们就一起在官署门口搭起草棚居住,不敢在家中安居,一住就是上十天,直到官府驱逐才退离。江南地区各宪司弹劾某人,案情虽不严重,但若某人是因教义而受弹劾之辱,或者因被拘留而身死狱中,两家就会成为死对头,子孙三代都不相往来。到洽当御史中丞的时候,开始想弹劾刘孝绰,到洽的哥哥到溉早就与刘孝绰关系友善，他苦苦规劝到洽不要弹劾刘孝绰而未能如愿，就前往刘孝绰处，流着泪与他告别而去。

【原文】

兵凶战危，非安全之道。古者，天子丧服以临师，将军凿凶门而出。父祖伯叔，若在军阵，贬损自居，不宜奏乐宴会及婚冠吉庆事也。若居围城之中，憔悴容色，除去饰玩，常为临深履薄之状焉。父母疾笃，医虽贱虽少，则涕泣而拜之，以求哀也。梁孝元在江州，尝有不豫，世子方等亲拜中兵参军李猷焉。

【译文】

兵器都是凶器，战争总是危险的事，都不是安全之道。因此在古代，天子要身穿丧服去检阅军队，将军要凿一扇凶门，然后由此出征。某人的父祖伯叔如果在军队里，他就应该贬抑约束自己，不应该参加奏乐、宴会以及婚礼冠礼等吉庆活动。如果某人处在被围困的城邑之中，他就应该是面容憔悴，除去各种装饰品和玩物，时时显出如临深渊、如履薄冰的样子。如果他的父母病重，那医生虽然地位低、年纪轻，他也应该向医生哭泣跪拜，以求得医生的怜悯。梁孝元帝在江州的时候，曾经生了病，他的大儿子萧方等就亲自拜求过中兵参军李猷。

【原文】

四海之人，结为兄弟，亦何容易。必有志均义敌，令终如始者，方可议之。一尔之后，命子拜伏，呼为丈人，申父友之敬；身事彼亲，亦宜加礼。比见北人，甚轻此节，行路相逢，便定昆季，望年观貌，不择是非，至有结父为兄，托子为弟者。

【译文】

四海之人，结为兄弟，是多么不容易的事啊！必须是志向相同、意气相投，能够对朋友始终如一的人，才可以考虑结交。一旦与人结拜为兄弟，就要让自己的孩子向他伏地下拜，称他为丈人，表达孩子对父亲朋友的尊敬；自己对结拜兄弟的父母亲，也应该加以礼敬。近来见到一些北方人，很轻视这种结交的礼节，两个人陌路相逢，就商定结为兄弟，有的只看看对方年龄、外貌，不斟酌言行是非，以至于有把父辈当成兄长，把子侄辈当成弟弟的。

【原文】

昔者，周公一沐三握发，一饭三吐餐，以接白屋之士，一日所见者七十余人。晋文公以沐辞竖头须，致有图反之诮。门不停宾，古所贵也。失教之家，阍寺无礼，或以主君寝食嗔怒，拒客未通，江南深以为耻。黄门侍郎裴之礼，号善为士大夫，有如此辈，对宾杖之；其门生僮仆，接于他人，折旋俯仰，辞色应对，莫不肃敬，与主无别也。

【译文】

从前，周公曾洗一次头要三次握住头发，吃一顿饭三次把口中的食物吐出来，为的就是停下来接待来访的平民寒士，在一天之内接见了七十多人。而晋文公以正在沐浴为由拒绝接见侍臣头须，以致遭来

“图反”的讥诮。不能让宾客滞留在门口,这是古人所看重的。那些缺少教养的人家,守门人没有礼貌,有的以主人正在睡觉、吃饭或发脾气为借口,拒绝为客人通报,江南地区的人家深以此种事为耻。黄门侍郎裴之礼,被称作是善待宾客的人,如果他家中有这类怠慢宾客的仆人,他会当着客人的面用棍子打他。所以他的门子、童仆在接待客人时,也都是有礼貌地曲行引进、低头弯腰,言辞表情,没有一样不是毕恭毕敬的,与对待自己的主人没有什么两样。

慕贤第七

【原文】

古人云："千载一圣，犹旦暮也；五百年一贤，犹比髆(bó)也。"言圣贤之难得，疏阔如此。傥遭不世明达君子，安可不攀附景仰之乎？吾生于乱世，长于戎马，流离播越，闻见已多；所值名贤，未尝不心醉魂迷向慕之也。人在少年，神情未定，所与款狎，熏渍陶染，言笑举动，无心于学，潜移暗化，自然似之；何况操履艺能，较明易习者也？是以与善人居，如入芝兰之室，久而自芳也；与恶人居，如入鲍鱼之肆，久而自臭也。墨子悲于染丝，是之谓矣。君子必慎交游焉。孔子曰："无友不如己者。"颜、闵之徒，何可世得！但优于我，便足贵之。

【译文】

古人说："一千年出一个圣人，就如同早晚之间就会出现；五百年出一位贤士，就仿佛是一个紧接一个出现。"这是说圣贤难得，旷世不遇，倘若有幸遇上了人世罕有的贤明君子，怎能不去攀附景仰他呢？我生于乱世，成长在战争年代，颠沛流离，四处漂泊，听到见到的已经够多了，但只要遇到有名望的贤人，未尝不心醉魂迷地向往钦慕于他。人年轻的时候，精神性情尚未定型，与那些情投意合的朋友朝夕相伴，受其熏陶渐染，一言一笑，一举一动，虽然没有存心跟朋友学，但在潜移默化中，自然就跟朋友相似了；何况操守德行和技艺才能，是明显容易学到的东西呢？因此，与好人住在一起，就像进入满是芷草兰花的屋子中一样，时间一长自己也变得芬芳起来；与坏人住在一起，就像进入卖咸鱼的店铺一样，时间一长自己也会变得腥臭难闻。墨子看见人们染丝就叹惜，说的也就是这个意思。因此，君子与人交往一定要慎重。孔子说："不要和不如自己的人交朋友。"像颜回、闵子骞那样的贤人，哪是每个人的一生都能遇得到！只要是比我优秀的，就足以让我尊重他了。

【原文】

世人多蔽，贵耳贱目，重遥轻近。少长周旋，如有贤哲，每相狎侮，不加礼敬；他乡异县，微藉风声，延颈企踵，甚于饥渴。校其长短，核其精粗，或彼不能如此矣。所以鲁人谓孔子为东家丘。昔虞国宫之奇，少长于君，君狎之，不纳其谏，以至亡国，不可不留心也。

【译文】

一般人多有一种偏见，对传闻的东西很看重，对亲眼所见的东西却很轻视；对远处的事情很感兴趣，对近处的事情却很轻视。从小到大在一起相处的人，其中或许有谁是贤人智士，人们也往往对他轻慢侮弄，并不以礼相待；而处在远方异土的人，凭着风传的一点名声，就能使大家伸长脖子、踮起脚跟去朝思暮盼，渴望之情甚至超过了饥渴。其实客观地比较一下两者的长短优劣，也许远处的人还不如身边的人呢。因此鲁国人轻蔑地称孔子为"东家丘"。从前虞国的宫之奇，比国君略大一点，国君与他非常亲近，因此反而不能采纳他的正确意见，以致亡了国，这个教训不可不永记在心啊。

【原文】

用其言，弃其身，古人所耻。凡有一言一行，取于人者，皆显称之，不可窃人之美，以为己力；虽轻虽贱者，必归功焉。窃人之财，刑辟之所处；窃人之美，鬼神之所责。

【译文】

采用了某人的意见却不厚待这个人，这种行为古人认为是很可耻的。凡采纳一个建议、办理一件事情，是得到别人帮助的，都应该公开称扬人家，切不可窃取别人的成果，把它当成自己的功劳；即使对方是地位低下的人，也一定要把功绩归于他。窃取别人的钱财，要遭到刑罚的处置；窃取别人的成果，会遭到鬼神的责罚。

【原文】

梁孝元前在荆州，有丁觇者，洪亭民耳，颇善属文，殊工草隶。孝元书记，一皆使之。军府轻贱，多未之重，耻令子弟以为楷法，时云："丁君十纸，不敌王褒数字。"吾雅爱其手迹，常所宝持。孝元尝遣典签惠编送文章示萧祭酒，祭酒问云："君王比赐书翰，及写诗笔，殊为佳手，姓名为谁？那得都无声问？"编以实答。子云叹曰："此人后生无比，遂不为世所称，亦是奇事。"于是闻者少复刮目。稍仕至尚书仪曹郎，末为晋安王侍读，随王东下。及西台陷殁，简牍湮散，丁亦寻卒于扬州。前所轻者，后思一纸，不可得矣。

【译文】

梁孝元帝从前在荆州时，有一位叫丁觇的人，是洪亭百姓，很会写文章，特别擅长草书和隶书。孝元帝的文书抄写，全都交给他干。军府中的人因为他地位低下，都看不起他，耻于让自己的子弟去临习他的书法，当时流行的话是："丁君写上十张纸，抵不上王褒几个字。"我非常喜爱丁君的书法墨迹，常常把它们珍藏起来。孝元帝曾经派一位叫惠编的典签送文章给祭酒萧子云看，萧子云问惠编："君王最近写给我的书信，以及他的诗歌文章，书法非常漂亮，那代笔者一定是位书法高手，他姓什名谁？怎么会一点名声都没有呢？"惠编据实回答了。萧子云感叹道："此人在后辈中没有谁能相比，竟然不被世人所称道，这也是一件奇怪的事。"从此以后，听说这事的人慢慢对他刮目相看。丁觇后来渐渐升任到尚书仪曹郎的位置，最后任晋安王侍读，随晋安王东下。等到江陵陷落的时候，那些文书信札一起散失了，丁觇不久也在扬州去世。从前轻视他书法的人，后来想得一张纸也不可能了。

【原文】

侯景初入建业，台门虽闭，公私草扰，各不自全。太子左卫率羊侃坐东掖门，部分经略，一宿皆办，遂得百余日抗拒凶逆。于时，城内四万许人，王公朝士，不下一百，便是恃侃一人安之，其相去如此。古人云："巢父、许由，让于天下；市道小人，争一钱之利。"亦已悬矣。

【译文】

侯景刚攻破建业城的时候，台城的门虽然仍紧闭着，但城内的官吏百姓都已惊恐不安，人人自危。这时，只有太子左卫率羊侃坐镇东掖门，部署策划御敌方略，仅一个晚上就都安排好了，于是争取到一百多天的时间来抵抗凶恶的叛军。当时，台城内有四万多人，其中王公大臣不下一百，就只靠羊侃一人来安定局面，他们之间的表现差距竟如此之大。古人说："巢父、许由把天下这样的大利都推辞掉了，而市井小人却为一文钱也要争执不休。"两者之间的差距也太悬殊了。

【原文】

齐文宣帝即位数年，便沉湎纵恣，略无纲纪；尚能委政尚书令杨遵彦，内外清谧，朝野晏如，各得其所，物无异议，终天保之朝。遵彦后为孝昭所戮，刑政于是衰矣。斛律明月，齐朝折冲之臣，无罪被诛，将士解体，周人始有吞齐之志，关中至今誉之。此人用兵，岂止万夫之望而已哉！国之存亡，系其生死。

【译文】

北齐文宣帝即位几年后，便沉湎酒色，为所欲为，毫无纲常法纪。但他尚能将政事交给尚书令杨遵彦处理，所以朝廷内外，清静安宁，朝野上下，安然无恙，群臣各得其所，大家都没有什么不同的议论，这种局面一直保持到了天保朝结束。杨遵彦后来被孝昭帝杀害，国家的刑律政令从此就衰败了。斛律明月是齐朝安邦却敌的重臣，无罪被杀，军队将士因此而人心涣散，北周人才萌生了吞并齐国的欲望，关中一带人民至今仍对斛律明月称誉不已。这种人用兵，岂止是万众瞩望而已啊！他的生死，牵系着国家的存亡。

【原文】

张延儁之为晋州行台左丞，匡维主将，镇抚疆埸(yì)，储积器用，爱活黎民，隐若敌国矣。群小不得行志，同力迁之。既代之后，公私扰乱，周师一举，此镇先平。齐亡之迹，启于是矣。

【译文】

张延儁任晋州行台左丞时，辅助维护主将，镇守安抚边疆，储藏聚集人才物资，爱护救助百姓，其威严庄重仿佛可与一国相匹敌。那些卑鄙小人不能按自己的意愿行事，就联合起来将他排斥走了。别人取代了他的位置之后，把晋州弄得一片混乱，北周的军队一起兵，晋州城最先被攻克。齐国灭亡之路，就从这里开始了。

勉学第八

【原文】

自古明王圣帝，犹须勤学，况凡庶乎！此事遍于经史，吾亦不能郑重，聊举近世切要，以启寤汝耳。士大夫子弟，数岁已上，莫不被教，多者或至《礼》《传》，少者不失《诗》《论》。及至冠婚，体性稍定；因此天机，倍须训诱。有志尚者，遂能磨砺，以就素业，无履立者，自兹堕慢，便为凡人。人生在世，会当有业：农民则计量耕稼，商贾则讨论货贿，工巧则致精器用，伎艺则沉思法术，武夫则惯习弓马，文士则讲议经书。多见士大夫耻涉农商，差务工伎，射则不能穿札，笔则才记姓名，饱食醉酒，忽忽无事，以此销日，以此终年。或因家世余绪，得一阶半级，便自为足，全忘修学；及有吉凶大事，议论得失，蒙然张口，如坐云雾；公私宴集，谈古赋诗，塞默低头，欠伸而已。有识旁观，代其入地。何惜数年勤学，长受一生愧辱哉！

【译文】

自古以来的圣明帝王，尚且需要勤奋好学，何况普通百姓呢！这类事在经籍史书中随处可见，我也不想过多举例，姑且举几个近世紧要的事说说，借以启发感悟你们。士大夫家的子弟，长到几岁以后，没有不受教育的，学得多的学了《礼经》《左传》，学得少的也不会少于《诗经》《论语》。等到他们二十岁行冠礼或结婚以后身体性情逐渐成形，应根据他们的天生灵性，加倍对他们进行教育和训导。那些有志向求上进的，就能经受磨炼，成就事业；那些没有毅力的，从此懒惰下去，就成了平庸的人。人生在世，都应当有一定的职业：农民要琢磨怎样耕田种地，商贩要商讨买卖生财之道，能工巧匠要精心制作器具，艺人要深入研习技艺，武士要熟悉骑马射箭，文人要讲论儒家经典。我常常见到不少士大夫耻于从事农商，又缺乏手工艺方面的本事，射箭连铠甲上的页片也射不穿，动笔仅仅能写出自己的名字，整天酒足饭饱，恍恍惚惚，无所事事，以此消磨时光，以此了结一生。有的人靠着祖上的荫庇，得到了一官半职，便自我满足，完全忘记了学习修业，以致碰上吉凶大事，与人议论得失时，就懵懵懂懂，张口结舌，如坠云雾之中；在各种公私宴会上，大家谈古论今、吟诗作赋，他却像被塞住了嘴一样，低头不能吭声，只好打打哈欠，伸伸懒腰罢了。那些有见识的旁观者，都为他羞愧得恨不能钻到地下去。这些人为什么舍不得勤学几年，而宁愿长受一生的愧辱呢！

【原文】

梁朝全盛之时，贵游子弟，多无学术，至于谚云："上车不落则著作，体中何如则秘书。"无不熏衣剃面，傅粉施朱，驾长檐车，跟高齿屐，坐棋子方褥，凭斑丝隐囊，列器玩于左右，从容出入，望若神仙。明经求第，则顾人答策；三九公宴，则假手赋诗。当尔之时，亦快士也。及离乱之后，朝市迁革，铨衡选举，非复囊(nǎng)

者之亲；当路秉权，不见昔时之党。求诸身而无所得，施之世而无所用。被褐而丧珠，失皮而露质，兀若枯木，泊若穷流，鹿独戎马之间，转死沟壑之际。当尔之时，诚驽材也。有学艺者，触地而安。自荒乱已来，诸见俘虏，虽百世小人，知读《论语》《孝经》者，尚为人师；虽千载冠冕，不晓书记者，莫不耕田养马。以此观之，安可不自勉耶？若能常保数百卷书，千载终不为小人也。

【译文】

梁朝全盛时期，无官职的贵族子弟，大多不学无术，以致有谚语说："只要登车不跌跤，便可当著作郎；只要能写'身体怎样'的人，便可当秘书。"这些贵族子弟没有一个不以香料熏衣，修剃脸面，涂脂抹粉，乘着长檐车，穿着高齿屐，坐在有方格图案的丝绸坐褥上，倚着杂色丝织靠枕，身边摆着各种古玩，不慌不忙地进进出出，看上去仿佛神仙一样。到参加明经科考以求取功名的时候，他们就雇人顶替自己回答策问；在三公九卿出席的宴会上，他们就请别人替自己吟诗作赋。这种时候，他们也算非常快意之士。及至动乱之后，改朝换代，选人用人的，不再是往日的亲朋；当政掌权的，不再是过去的同伙。此时，这些贵族子弟想靠自己去求得一官半职，却无能为力；想在社会上发挥作用，又身无长技。他们只能身穿粗布衣服，丢掉自己的品格，剥下华丽的外表，露出无能的本质，呆头呆脑像枯槁的木头，有气无力像快要干涸的水流，在兵荒马乱之中颠沛流离，最后抛尸于荒沟野壑之中。这时候，这些贵族子弟的的确确成了蠢材。而有学识、有技艺的人，则到处可以安身。自从兵乱以来，我见过不少俘虏，即使世代是下等人，只要懂得《孝经》《论语》，还可以给别人当老师；即使是年代久远的世家大族，只要不会动笔作文，没有一个不去耕田养马。由此看来，人们怎能不自励自勉、努力学习呢？如果能够经常保有几百卷书籍研读，就是再过一千年也不会成为下等人。

【原文】

夫明《六经》之指，涉百家之书，纵不能增益德行，敦厉风俗，犹为一艺，得以自资。父兄不可常依，乡国不可常保，一旦流离，无人庇荫，当自求诸身耳。谚曰："积财千万，不如薄伎在身。"伎之易习而可贵者，无过读书也。世人不问愚智，皆欲识人之多，见事之广，而不肯读书，是犹求饱而懒营馔，欲暖而惰裁衣也。夫读书之人，自羲、农已来，宇宙之下，凡识几人，凡见几事，生民之成败好恶，固不足论，天地所不能藏，鬼神所不能隐也。

【译文】

通晓六经旨意、涉猎百家著述，即使不能增加道德修养，砥砺世风习俗，仍算有一技之长，可借此自谋生计。父亲兄长不能长期依赖，家乡邦国不能常保无虞，一旦流离失所，没有人庇护周济时，就得靠自己了。俗话说："积蓄千万财产，不如身有薄技。"容易学习而又可贵的本事没有比得上读书的。世人不管愚蠢的还是聪明的，都希望认识的人多，见识的事广，却不肯读书，这就好像想饱餐却懒得做饭，想穿暖却懒得裁衣一样。那些读书人，从伏羲、神农的时代以来，在这世界上，认识过多少人，见识过多少事，对一般人的成败好恶，他们看得很清楚，这不用细说了，即使天地的事也不能在他们眼中隐藏，就是鬼神的事也不能在他们眼前躲避。

【原文】

有客难主人曰："吾见强弩长戟，诛罪安民，以取公侯者有矣；文义习吏，匡时富国，以取卿相者有矣；学备古今，才兼文武，身无禄位，妻子饥寒者，不可胜数，安足贵学乎？"主人对曰："夫命之穷达，犹金玉木石也；修以学艺，犹磨莹雕刻也。金玉之磨莹，自美其矿璞；木石之段块，自丑其雕刻。安可言木石之雕刻，乃胜金玉之矿璞哉？不得以有学之贫贱，比于无学之富贵也。且负甲为兵，咋笔为吏，身死名灭者如牛毛，角立杰出者如芝草；握素披黄，吟道咏德，苦辛无益者如日蚀，逸乐名利者如秋荼，岂得同年而语矣。且又闻之：生而知之者上，学而知之者次。所以学者，欲其多知明达耳。必有天才，拔群出类，为将则暗与孙武、吴起同术，执政则悬得管仲、子产之教，虽未读书，吾亦谓之学矣。今子即不能然，不师古之踪迹，犹蒙被而卧耳。

【译文】

有客人问我说："我看到过有手持强弓长戟，诛灭罪人，安抚百姓，以此取得公侯爵位的人；有阐释礼仪，研习吏道，匡正时尚，使国家富足，以此博取卿相职位的人；而学问贯通古今，才能兼备文武，却身无俸禄官职，妻子儿女挨饿受冻的人，却数不胜数。这么看来，何必看重学习呢？”我回答他说：“一个人的命运是穷困还是显达，就好比金玉与木石；研习学问和技艺，就好比琢磨金玉，雕刻木石。经过琢磨的金玉，比矿石璞玉更美；一段未经雕刻的一块木石比经过雕刻的丑陋多了。怎么可以说经过雕刻的木石，就胜过未经琢磨的矿石璞玉呢？所以，不能以有学问的贫贱人，去与无学问的富贵人相比。况且披起铠甲当兵，与用笔充任小吏的人，身死名灭的，多如牛毛，卓然挺立的，少如灵芝；勤奋攻读，修养品性，含辛茹苦的人，像日食那样少见，而闲适安乐、追名逐利的人，却像秋荼那样繁多，二者怎能同日而语呢？况且我又听说：生下来就明白事理的是上等人，通过学习才明白事理的是次一等的人。人之所以要学习，是想增多知识，明白道理。如果说有天才存在的话，那就是出类拔萃的人，他们如做将领，便暗中具备了与孙武、吴起相同的军事谋略；若做执政者，先天就获得了管仲、子产那样的政治教养。虽然他们没有读过书，我也认为他们是有学问的人。现在你却不能做到这样，不去师法古人的所作所为，就像蒙着被子睡大觉，什么也看不见了。”

【原文】

人见邻里亲戚有佳快者，使子弟慕而学之，不知使学古人，何其蔽也哉！世人但知跨马被甲，长稍(shuò)强弓，便云我能为将；不知明乎天道，辨乎地利，比量逆顺，鉴达兴亡之妙也。但知承上接下，积财聚谷，便云我能为相；不知敬鬼事神，移风易俗，调节阴阳，荐举贤圣之至也。但知私财不入，公事夙办，便云我能治民；

不知诚己刑物，执辔如组，反风灭火，化鸱为凤之术也。但知抱令守律，早刑晚舍，便云我能平狱；不知同辕观罪，分剑追财，假言而奸露，不问而情得之察也。爰及农商工贾，厮役奴隶，钓鱼屠肉，饭牛牧羊，皆有先达，可为师表，博学求之，无不利于事也。

【译文】

人们看见邻居、亲戚中有出人头地的人物，便让子弟仰慕他们，向他们学习，却不懂得让他们向古人学习，这是多么糊涂无知啊！世人只知道跨骏马，披铠甲，手持长矛强弓，就说我也能当将军，却不知道作为一个将领，要了解天时的阴晴寒暑，分辨地理的险易远近，比较权衡战争中的逆境与顺境，审察历史上兴盛衰亡的种种奥妙。世人只知道上下左右应酬，积财储粮，就说我也能当宰相，却不知道作为一个宰相，要懂得敬重鬼神、移风易俗、调节自然变化、荐贤举能等根本大事。世人只知道不谋私财，公事及早办理，就说我也能管理好百姓，却不知道管理百姓，要诚恳待人，为人楷模，有善驾车马、止风灭火、化鸱为凤的本领。世人只知道依照法令条律，判刑宜早，赦免宜迟，就说我也能秉公办案，却不知道有同辕观罪、分剑追财、用假言诱使诈伪者暴露、不用审问而案情自明的洞察力。至于农夫、商贾、工匠、童仆、奴隶、渔民、屠夫、喂牛放羊的人中，都有贤德的前辈，可以作为学习的榜样，广泛地向这些人学习，没有不利于成就事业的。

【原文】

夫所以读书学问，本欲开心明目，利于行耳。未知养亲者，欲其观古人之先意承颜，怡声下气，不惮劬(qú)劳，以致甘腝(ér)，惕然惭惧，起而行之也。未知事君者，欲其观古人之守职无侵，见危授命，不忘诚谏，以利社稷，恻然自念，思欲效之也。素骄奢者，欲其观古人之恭俭节用，卑以自牧，礼为教本，敬者身基，瞿然自失，敛容抑志也；素鄙吝者，欲其观古人之贵义轻财，少私寡欲，忌盈恶满，赒(zhōu)穷恤匮，赧然悔耻，积而能散也；素暴悍者，欲其观古人之小心黜己，齿弊舌存，含垢藏疾，尊贤容众，苶(nié)然沮丧，若不胜衣也；素怯懦者，欲其观古人之达生委命，强毅正直，立言必信，求福不回，勃然奋厉，不可恐慑也：历兹以往，百行皆然。纵不能淳，去泰去甚。学之所知，施无不达。世人读书者，但能言之，不能行之，忠孝无闻，仁义不足；加以断一条讼，不必得其理；宰千户县，不必理其民；问其造屋，不必知楣横而棁(zhuó)竖也；问其为田，不必知稷早而

黍迟也；吟啸谈谑，讽咏辞赋，事既优闲，材增迂诞，军国经纶，略无施用，故为武人俗吏所共嗤诋，良由是乎！

【译文】

人读书求学，本来是想要开发心智、开阔视野，以利于修炼品行。对那些不知道奉养父母的人，就要让他看看古人如何体察父母心意，看父母的脸色办事；如何轻言细语、和颜悦色地与父母谈话；如何不怕劳苦，为父母办来香甜软嫩的食品；使那些不孝者感到畏惧惭愧，起而行孝亲之道。对那些不知道侍奉国君的人，就要让他们看看古人如何笃守职责，而不侵凌犯上；如何在危急关头，不惜牺牲性命；如何不忘忠心进谏的职责，以利于国家；使他们痛心疾首地反省自己，进而想去效法古人。对那些骄横奢侈的人，就要让他们看看古人如何恭谨俭朴，节省用度；如何谦卑自守，如何以礼让为教化的根本，以恭敬为立身的基础；使他们震惊变色，自感若有所失，从而收敛傲慢的态度，抑制那骄奢的心思。对那些平时浅薄吝啬的人，就要让他们看看古人如何重义轻财，少私寡欲，忌讳过分地贪财；如何周济穷人，体恤贫民；使他们脸红耳赤，懊悔羞耻，从而既能积财又能散财。对那些平时暴虐凶悍的人，就要让他们看看古人如何小心恭谨，约束自己，懂得齿亡舌存的道理；如何宽仁大度，尊重贤士，容纳众人；使他们看了之后垂头丧气，好像连衣服也穿不动一样。对那些平时胆小懦弱的人，就要让他们看看古人如何看透人生，听天由命；如何刚强坚毅，正直不阿；如何信守诺言，祈求福运，而又不违祖道；使他们能奋发振作，无所畏惧。由此类推，各方面的品行都可采取以上方式来培养。即使不能使风气纯正，也可去掉那些过分的不良行为。从学习中获取知识，做起事来就会得心应手。然而世上的读书人，只知空谈，不能行动。他们忠孝谈不上，仁义也欠缺；加上他们审断一桩官司，不一定了解其中的道理；主管一个千户小县，不一定管理得好百姓；问他们怎样造房子，不一定知道楣是横的而棁是竖的；问他们怎样种田，不一定知道高粱下种的季节早而黍子下种的季节晚；他们整天吟咏长啸，谈笑戏谑，写诗作赋，悠闲自在，只增加一些迂阔荒诞的技能，对治军治国则毫无办法。所以他们被武官俗吏嗤笑辱骂，确实是有原因的！

【原文】

夫学者所以求益耳。见人读数十卷书，便自高大，凌忽长者，轻慢同列。人疾之如仇敌，恶之如鸱(chī)枭。如此以学自损，不如无学也。

【译文】

学习是为了求得进步。我看见有些人读了几十卷书，就自高自大，冒犯长者，看不起同辈。大家仇视他就像对待仇敌一样，厌恶他就像对待鸱鸮一样。像这样因学了点东西反而使自己形象受损，还不如不学习。

【原文】

古之学者为己，以补不足也；今之学者为人，但能说之也。古之学者为人，行道以利世也；今之学者为己，修身以求进也。夫学者犹种树也，春玩其华，秋登其实；讲论文章，春华也，修身利行，秋实也。

【译文】

古人求学是为了充实自己，以弥补自身的不足；现代人求学是为了向别人炫耀，只能夸夸其谈。古人求学是为别人，即奉行儒家之道，而有利于世；现代人求学是为自己，即修身养性以求仕进。求学就像种树一样，春天观赏它的花朵，秋天收获它的果实。讲论文章，这就好比观赏春花；修身利行，这就好比收获秋果。

【原文】

人生小幼，精神专利，长成已后，思虑散逸，固须早教，勿失机也。吾七岁时，诵《灵光殿赋》，至于今日，十年一理，犹不遗忘；二十之外，所诵经书，一月废置，便至荒芜矣。然人有坎壈(lǎn)，失于盛年，犹当晚学，不可自弃。孔子云："五十以学《易》，可以无大过矣。"魏武、袁遗，老而弥笃，此皆少学而至老不倦也。曾子七十乃学，名闻天下；荀卿五十，始来游学，犹为硕儒；公孙弘四十余，方读《春秋》，以此遂登丞相；朱云亦四十，始学《易》《论语》；皇甫谧二十，始受《孝经》《论语》：皆终成大儒，此并早迷而晚寤也。世人婚冠未学，便称迟暮，因循面墙，亦为愚耳。幼而学者，如日出之光，老而学者，如秉烛夜行，犹贤乎瞑目而无见者也。

【译文】

人在幼小的时候，精神专注敏锐；长大成人以后，心思容易分散。因此，对孩子确实须及早教育，不可坐失良机。我七岁的时候，背诵《灵光殿赋》，直到今天，隔十年温习一次，仍然没有遗忘。二十岁以后，所背诵的经书，搁置一个月不温习，便到了荒疏的地步。然而，人生如有坎坷，年轻时失去了求学的机会，还是应当在晚年学习，不可自暴自弃。孔子说："五十岁时学习《易经》，就可以没有大的过错了。"魏武帝和袁遗，越老学习兴趣越浓厚，这都是年轻时勤奋学习直到老年也不厌倦的例子。曾子七十岁时才开始学习，却名闻天下；荀卿五十岁才到齐国游学，仍然成了大学者；公孙弘四十多岁才开始读《春秋》，靠这门学问登上了相位；朱云也是四十岁才开始学习《易经》《论语》的；皇甫谧二十岁才开始学习《孝经》《论语》，他们最后都成了大学者。这些都是早年迷惑而晚年觉悟的例子。世人到成年还未开始学习，就说晚了，拖拖拉拉过日子，好像面对着墙壁，一无所见，也够愚蠢的了。从小就开始学习的人，就好像太阳初升时的光芒；到老来才开始学习的人，就好像手持蜡烛在夜间行走，但也比那闭着眼睛什么都看不见的人强。

【原文】

学之兴废，随世轻重。汉时贤俊，皆以一经弘圣人之道，上明天时，下该人事，用此致卿相者多矣。末俗已来不复尔，空守章句，但诵师言，施之世务，殆无一可。故士大夫子弟，皆以博涉为贵，不肯专儒。梁朝皇孙以下，总丱(guàn)之年，必先入学，观其志尚，出身已后，便从文史，略无卒业者。冠冕为此者，则有何胤、刘瓛、明山宾、周舍、朱异、周弘正、贺琛、贺革、萧子政、刘绍等，兼通文史，不徒讲说也。洛阳亦闻崔浩、张伟、刘芳，邺下又见邢子才：此四儒者，虽好经术，亦以才博擅名。如此诸贤，故为上品，以外率多田野间人，音辞鄙陋，风操蚩拙，相与专固，无所堪能，问一言辄酬数百，责其指归，或无要会。邺下谚云："博士买驴，书券三纸，未有驴字。"使汝以此为师，令人气塞。孔子曰："学也，禄在其中矣。"今勤无益之事，恐非业也。夫圣人之书，所以设教，但明练经文，粗通注义，常使言行有得，亦足为人；何必"仲尼居"即须两纸疏义，燕寝讲堂，亦复何在？以此得胜，宁有益乎？光阴可惜，譬诸逝水。当博览机要，以济功业；必能兼美，吾无间焉。

【译文】

学习风气的兴盛或衰败，是随着社会对学习的轻视或重视而变化的。汉代的贤士俊才，都靠精通一部经书而弘扬圣人之道，上能说明自然界的变化，下能洞悉人事，凭着这种特长而得到卿相职位的人可多了。汉末以后就不再是这样了，读书人都空守章句之学，只知背诵老师讲过的现成话，而把书本知识用于社会事务，大概没有一个能行的。所以，后来士大夫的子弟都以广泛涉猎为贵，不肯专攻儒学。梁朝从皇孙以下，在童年时就一定先让他们入学读书，观察他们的志向爱好，步入仕途后，就参与文官的事务，没有一个人把学业坚持到底的。当官后还能坚持学业的，只有何胤、刘瓛、明山宾、周舍、朱异、周弘正、贺琛、贺革、萧子政、刘绍等人，这些人兼通文学和史学，不只是口头讲讲而已。在洛阳城，听说有崔浩、张伟、刘芳等三人，邺下还有邢子才：这四位儒者，虽然都喜好经术，但也以才识广博而著名。以上诸位贤士，都是人才中的上品，除此之外，就大多是些山野村夫，他们言语粗俗浅薄，风度笨拙愚昧，互相之间固执己见，什么事也干不成，问他一句，他就会答出几百句，若问他话中的主旨，却没有一点要领。邺下有谚语说："博士买驴，契约写了三大张，还没有写出个'驴'字。"如果你以这种人为师，真令人丧气。孔子说："学习吧，你的俸禄就在其中啊。"现在人们忙于一些毫无益处的事情，恐怕不是正当的事业吧。圣人的书，是用来教育人的，只要熟读经文，粗通注释和含义，经常使自己的言行与之符合，也足以在世上为人了。何必对"仲尼居"三字用两张纸去解释呢？把"居"解作闲居之处也好，或把"居"解作讲习之所也好，又都在什么地方呢？在这种问题上争个输赢，难道有什么好处吗？光阴最值得珍惜，就像流水般一去不复返。应当广泛阅读书中那些精要的学说，来成就自己的事业；如果能把博览与专精结合起来，我就再没有什么可以批评指责的了。

【原文】

俗间儒士，不涉群书，经纬之外，义疏而已。吾初入邺，与博陵崔文彦交游，尝说《王粲集》中难郑玄《尚书》事。崔转为诸儒道之，始将发口，悬见排蹙，云："文集只有诗赋铭诔，岂当论经书事乎？且先儒之中，未闻有王粲也。"崔笑而退，竟不以粲集示之。魏收之在议曹，与诸博士议宗庙事，引据《汉书》，博士笑曰："未闻《汉书》得证经术。"收便忿怒，都不复言，取《韦玄成传》，掷之而起。博士一夜共披寻之，达明，乃来谢曰："不谓玄成如此学也。"

【译文】

世间的读书人，不能博览群书，只在经书和纬书之外，学学解释这些经典的注疏而已。我初到邺城时，与博陵崔文彦交游，曾谈起《王粲集》中有责难郑玄《尚书注》的事。崔文彦转而对几位读书人谈起此事，刚一开口，就被无所依据地指责，他们说："文集中只有诗、赋、铭、诔等，难道会有论及经书的事吗？况且在先儒中，没听说有王粲这个人呢。"崔文彦笑了笑便告退了，到最后也没把《王粲集》给他们看。魏收在议曹时，与博士们议及有关宗庙之事，引《汉书》作为根据，博士们嘲笑说："我们没有听说过《汉书》可以验证经学。"魏收很生气，一句话也不再说，把《汉书》中的《韦玄成传》扔给他们，就起身走了。博士们花了一个晚上的时间共同翻阅了此书，寻找有关内容，天亮时才来道歉说："想不到韦玄成还有这等学问啊。"

【原文】

夫老、庄之书，盖全真养性，不肯以物累己也。故藏名柱史，终蹈流沙；匿迹漆园，卒辞楚相，此任纵之徒耳。何晏、王弼，祖述玄宗，递相夸尚，景附草靡，皆以农、黄之化，在乎己身，周、孔之业，弃之度外。而平叔以党曹爽见诛，触死权之网也；辅嗣以多笑人被疾，陷好胜之阱也；山巨源以蓄积取讥，背多藏厚亡之文也；夏侯玄以才望被戮，无支离臃肿之鉴也；荀奉倩丧妻，神伤而卒，非鼓缶之情也；王夷甫悼子，悲不自胜，异东门之达也；嵇叔夜排俗取祸，岂和光同尘之流也；郭子玄以倾动专势，宁后身外己之风也；阮嗣宗沉酒荒迷，乖畏途相诫之譬也；谢幼舆赃贿黜削，违弃其余鱼之旨也：彼诸人者，并其领袖，玄宗所归。其余桎梏尘滓之中，颠仆名利之下者，岂可备言乎！直取其清谈雅论，剖玄析微，宾主往复，娱心悦耳，非济世成俗之要也。洎(jì)于梁世，兹风复阐，《庄》《老》《周易》，总谓“三玄”。武皇、简文，躬自讲论。周弘正奉赞大猷(yóu)，化行都邑，学徒千余，实为盛美。元帝在江、荆间，复所爱习，召置学生，亲为教授，废寝忘食，以夜继朝，至乃倦剧愁愤，辄以讲自释。吾时颇预末筵，亲承音旨，性既顽鲁，亦所不好云。

【译文】

老子、庄子的书，讲的是如何保持本质、修养品性，不让外物来拖累自己。所以老子甘任柱下史，埋名隐姓，最后隐遁于沙漠之中；庄子隐居漆园为小吏，最后拒绝担任楚相，这两人都是无所拘束、自由自在的人啊。后来有何晏、王弼，师法玄学，一个接一个地夸夸其谈，如影子依附形体、草木顺风倒伏一样，都以为奉行神农、黄帝的教化，就在于自己，而把周公、孔子的思想置之度外。然而，何晏因为党附曹爽而被杀，这是触到了贪恋权势的罗网上；王弼因多次讥笑别人，而招来忌恨，这是掉进了争强好胜的陷阱里；山巨源因为贪吝积敛而遭到议论，这是违背了聚敛越多所失越大的古训；夏侯玄因才能声望而遭到杀害，这是没有借鉴支离疏以疾病全生的做法；荀粲在丧妻之后，因哀伤而至丧命，这就不是庄子在丧妻之后敲缶而歌的超脱情怀了；王夷甫因悼念儿子而悲不自胜，和东门那个面对丧子之痛所抱的达观态度可不同了；嵇康因排斥俗流而惹祸，他难道是“和其光，同其尘”一类的人吗？郭象倾慕权力，仗势专权，他难道有“后身外己”的风度？阮籍纵酒迷乱，不合于“畏途相诫”的譬喻；谢鲲因贪污而丢官，这是违背了不贪多余财物的宗旨：以上这些人及他们的精神领袖，都要归于玄学之宗——老庄哲学。其他的人，像那些在尘世污秽中身套名缰利锁，在名利场中摔爬滚打之辈，怎可一一细说呢？只有玄学中的清谈雅论，剖析玄妙细微之处，宾主在玄谈中相互问答，可以娱心悦耳，但这些并不是拯救社会、形成良好风气的急要之事。到了梁朝，这种玄谈的风气又流行起来，《庄子》《老子》《周易》被总称为“三玄”。武帝和简文帝都亲自讲论。周弘正向君主讲述以玄学治国的大道理，其风气流行到大小城镇，学徒达到一千多人，实在兴盛极了。后来元帝在江陵、荆州的时候，也十分爱好研习此道，他召来一些学生，亲自为他们讲授，废寝忘食，夜以继日，以至他在极度疲倦、忧愁烦闷的时候，也靠讲授玄学来自我排解。我当时也在末位就座，亲耳聆听元帝的教诲，但我资质顽钝愚鲁，对玄学也缺乏兴趣，所以没有什么收获。

【原文】

齐孝昭帝侍娄太后疾，容色憔悴，服膳减损。徐之才为灸两穴，帝握拳代痛，爪入掌心，血流满手。后既痊愈，帝寻疾崩，遗诏恨不见太后山陵之事。其天性至孝如彼，不识忌讳如此，良由无学所为。若见古人之讥欲母早死而悲哭之，则不发此言也。孝为百行之首，犹须学以修饰之，况余事乎！

【译文】

北齐的孝昭帝护理病中的娄太后，因劳累而脸色憔悴，饭量减少。徐之才为太后针灸两个穴位，孝昭帝握住自己的手，为母代痛，指甲嵌

入掌心，以致血流满手。太后的病痊愈之后，孝昭帝却因病去世了，临终留下遗诏说："他遗憾的是不能够为娄太后操办后事。"他的天性如此孝顺，却不懂得忌讳又到如此地步，确实是由不学习造成的。他如果知道古人讽刺那些盼望母亲早死而痛哭的人，就不会在遗诏中说出那样的话了。孝在各种善行中是第一位的，还需要通过学习去培养完善，何况其他的事呢！

【原文】

梁元帝尝为吾说："昔在会稽，年始十二，便已好学。时又患疥，手不得拳，膝不得屈。闲斋张葛帏避蝇独坐，银瓯贮山阴甜酒，时复进之，以自宽痛。率意自读史书，一日二十卷，既未师受，或不识一字，或不解一语，要自重之，不知厌倦。"帝子之尊，童稚之逸，尚能如此，况其庶士，冀以自达者哉！

【译文】

梁元帝曾经对我说："过去在会稽的时候，我才十二岁，就已喜欢学习了。当时，我身患疥疮，手不能握拳，膝不能弯曲。我在闲斋中挂上葛布帷帐以避开苍蝇独坐，银盆内装着山阴的甜酒，不时喝上几口，以减轻自己的疼痛。我随意读一些史书，一天读二十卷，没有老师传授，有时不认识某字，有时不理解某句，就需要自己重复去读，反复理解，却从不感到厌倦。”元帝以帝王之子的尊贵身份，在孩童闲逸之时，尚且能够如此用功学习，何况那些出身普通希望通过学习以求仕途显达的人呢？

【原文】

古人勤学，有握锥投斧，照雪聚萤，锄则带经，牧则编简，亦为勤笃。梁世彭城刘绮，交州刺史勃之孙，早孤家贫，灯烛难办，常买荻尺寸折之，然明夜读。孝元初出会稽，精选寮(liáo)寀(cǎi)，绮以才华，为国常侍兼记室，殊蒙礼遇，终于金紫光禄。义阳朱詹，世居江陵，后出扬都，好学，家贫无资，累日不爨(cuàn)，乃时吞纸以实腹。寒无毡被，抱犬而卧。犬亦饥虚，起行盗食，呼之不至，哀声动邻，犹不废业，卒成学士，官至镇南录事参军，为孝元所礼。此乃不可为之事，亦是勤学之一人。东莞臧逢世，年二十余，欲读班固《汉书》，苦假借不久，乃就姊夫刘缓乞丐客刺书翰纸末，手写一本，军府服其志尚，卒以《汉书》闻。

【译文】

古代勤奋好学的人，有用锥子刺大腿以防止瞌睡的苏秦，有投斧于高树、下决心求学的文党，有映雪勤读的孙康，有收聚萤火虫以照明的车武子；汉代的兒宽耕种时也不忘带上经书；路温舒在放羊时编蒲草为简，用来写字；他们可算是勤奋刻苦了。梁代彭城的刘绮，是交州刺史刘勃的孙子，从小死了父亲，家境贫寒，难以置办灯烛，常买回荻草，按一定尺寸折断，点燃照明夜读。梁元帝任会稽太守时，精心选拔官吏，刘绮以他的才华当上了太子府中的国常侍兼记室，很受尊重，最后官至金紫光禄大夫。义阳的朱詹，世世代代住在江陵，后来到了建业，十分勤学，家贫无钱，竟连续几天不能生火煮饭，他就经常吞食废纸充饥。天冷没有被盖，就抱着狗取暖睡觉。狗也十分饥饿，跑到外面去偷吃东西，朱詹呼唤也不见狗归家，悲哀的呼声惊动了邻里。然而他仍不荒废学业，终于成为学士，官至镇南录事参军，为元帝所尊重。朱詹所做的，是一般人所做不到的，这也是一个勤学的典型。东莞人臧逢世，二十多岁时想读班固的《汉书》，但苦于借来的书不能长久阅读，就向姐夫刘缓要来名帖、书札的边幅纸头，手抄一本。军府中的人都佩服他的志气，后来他终于以精通《汉书》出了名。

【原文】

齐有宦者内参田鹏鸾，本蛮人也。年十四五，初为阍寺，便知好学，怀袖握书，晓夕讽诵。所居卑末，使役苦辛，时伺间隙，周章询请。每至文林馆，气喘汗流，问书之外，不暇他语。及睹古人节义之事，未尝不感激沉吟久之。吾甚怜爱，倍加开奖。后被赏遇，赐名敬宣，位至侍中开府。后主之奔青州，遣其西出，参伺动静，为周军所获。问齐主何在，绐云："已去，计当出境。”疑其不信，欧捶服之，每折一支，辞色愈厉，竟断四体而卒。蛮夷童丱，犹能以学成忠，齐之将相，比敬宣之奴不若也。

【译文】

北齐有位太监叫田鹏鸾，本是少数民族。十四五岁刚当上守门太监时，就知道好学，怀中袖中带着书，早晚诵读。他所处的地位十分低下，工作也很辛苦，但仍能经常利用空闲时间，四处求教。他每次到文林馆，气喘汗流，除了询问书中不懂的地方外，顾不得讲其他的话。每当他从书中看到古人讲气节、重义气的事就十分激动，沉思很久。我很同情喜欢他，对他倍加开导勉励。后来他得到皇帝的赏识和知遇，赐名为敬宣，职位到了侍中开府。北齐后主逃奔青州的时候，派敬宣去西边观察北周军队的动静，被俘。周军问他北齐君主在何处，他骗北周军队说：“走了，估计已出境了。”周军不信他的话，殴打他，企图使他屈服；他的四肢每被打断一条，言辞神色就更加严厉，最后终于被打断四肢而死。一位少数民族的少年，尚且能够通过学习养成忠诚的节操，北齐的将相们，比敬宣这个奴仆都不如。

【原文】

邺平之后，见徙入关。思鲁尝谓吾曰：“朝无禄位，家无积财，当肆筋力，以申供养。每被课笃，勤劳经史，未知为子，可得安乎？”吾命之曰：“子当以养为心，父当以学为教。使汝弃学徇财，丰吾衣食，食之安得甘？衣之安得暖？若务先王之道，绍家世之业，藜羹缊褐，我自欲之。”

【译文】

邺城被北周军队平定之后，北齐君主被流放到关内。思鲁曾对我说："朝廷里没有俸禄，家里也没有积财，我应当尽力劳动，以尽供养之责。但我常常被您督促检查功课，致力于经史，还不知道如何尽人子之道，这能让我安心吗？"我教诲他说："当儿子的应当把修养放在心上，当父亲的应当把教育子女放在第一位。如果让你放弃学业去赚钱，使我丰衣足食，我吃着怎么会香甜？穿着怎么会感到温暖？如果你致力于先王的儒家之道，继承祖传的基业，那么，纵使喝野菜汤、穿麻布衣，我也心甘情愿。"

【原文】

《书》曰："好问则裕。"《礼》云："独学而无友，则孤陋而寡闻。"盖须切磋相起明也。见有闭门读书，师心自是，稠人广坐，谬误差失者多矣。《穀梁传》称公子友与莒挐相搏，左右呼曰："孟劳。"孟劳者，鲁之宝刀名，亦见《广雅》。近在齐时，有姜仲岳谓："孟劳者，公子左右，姓孟名劳，多力之人，为国所宝。"与吾苦诤。时清河郡守邢峙，当世硕儒，助吾证之，赧然而伏。又《三辅决录》云，灵帝殿柱题曰："堂堂乎张，京兆田郎。"盖引《论语》，偶以四言，目京兆人田凤也。有一才士，乃言："时张京兆及田郎二人皆堂堂耳。"闻吾此说，初大惊骇，其后寻愧悔焉。江南有一权贵，读误本《蜀都赋》注，解"蹲鸱，芋也"，乃为"羊"字；人馈羊肉，答书云：

“损惠蹲鸱。”举朝惊骇，不解事义，久后寻迹，方知如此。元氏之世，在洛京时，有一才学重臣，新得《史记音》，而颇纰缪，误反“颛顼”字，顼当为许录反，错作许缘反，遂谓朝士言：“从来谬音‘专旭’，当音‘专翾’耳。”此人先有高名，翕然信行；期年之后，更有硕儒，苦相究讨，方知误焉。《汉书·王莽赞》云：“紫色蛙声，余分闰位。”谓以伪乱真耳。昔吾尝共人谈书，言及王莽形状，有一俊士，自许史学，名价甚高，乃云：“王莽非直鸱目虎吻，亦紫色蛙声。”又《礼乐志》云：“给太官挏马酒。”李奇注：“以马乳为酒也，揰挏乃成。”二字并从手。揰挏，此谓撞捣挺挏之，今为酪酒亦然。向学士又以为种桐时，太官酿马酒乃熟。其孤陋遂至于此。太山羊肃，亦称学问，读潘岳赋“周文弱枝之枣”，为杖策之杖；《世本》“容成造历”，以历为碓磨之磨。

【译文】

《尚书》说：“喜欢提问，便知识充足。”《礼记》上说：“独自学习而没有朋友，就会学识浅陋，见闻不广。”看来，学习必须要共同切磋，互相启发，这是很明白的。我见到闭门读书、自以为是，在大庭广众之中口出谬误的人很多。《穀梁传》叙述公子友与莒挐搏斗，左右的人呼叫：“孟劳。”孟劳是鲁国宝刀的名称，这个解释也见于《广雅》。我近来在齐国，有位叫姜仲岳的人说：“孟劳是公子友左右的人，姓孟，名劳，是位大力士，为鲁国人所看重。”他和我苦苦争辩。当时清河郡守邢峙也在座，他是当今的大儒，帮助我证实了孟劳的真实含义，姜仲岳才红着脸认输了。此外，《三辅决录》上说，汉灵帝在宫殿柱子上题字：“堂堂乎张，京兆田郎。”这是引用《论语》中的话，以四言句式，来品评京兆人田凤。有一位才士却解释成：“当时张京兆及田郎都相貌堂堂。”他听了我的上述解释，开始非常惊骇，后来又感到惭愧懊悔。江南有一位权贵，读误本《蜀都赋》的注解“蹲鸱，芋也”时，把“芋”字错作“羊”字。有人馈赠他羊肉，他回信说：“实在有损您惠赐蹲鸱。”满朝官员都感到惊骇，不了解他说的是什么意思，很久以后追寻事情的来龙去脉，才知道是这么回事。北魏元氏时，在洛阳，有位有才学而位居要职的大臣，新得了一本《史记音》，书中错谬很多，如写错了“颛顼”一词的反切，“顼”字应当为“许录反”，却错为“许缘反”。这位大臣就对朝中官员们说：“过去一直把颛顼读成‘专旭’，应该读成‘专翾’。”这位大臣以前名气很大，他的读法，大家一致赞同并照办。一年以后，又有大学者对这个词的发音苦苦地研究探讨，才知道那个大臣的错误。《汉书·王莽赞》说：“紫色蛙声，余分闰位。”是说王莽以假乱真。过去我曾经和别人一起谈论书籍，谈到王莽的模样，有位颇有才气的人，自夸通晓史学，声名很高，他说：“王莽不但长着猫头鹰一样的眼睛、老虎一样的嘴，而且有着紫色的皮肤、青蛙的嗓音。”还有，《礼乐志》上说：“给太官挏马酒。”李奇的注解是：“用马乳熬成酒，要经过撞击、搅动才能做成。”“撞挏”二字的偏旁都从手。所谓撞挏，这里是说把马奶捶击拌动，现在做酪酒也是用这种方法。从前有位学士又认为是种桐树时太官酿造的马酒才熟。他的学识浅陋竟到了这种地步。泰山的羊肃，也称得上是有学问的人，他读潘岳赋中“周文弱枝之枣”一句，把“枝”字读作杖策的“杖”字；他读《世本》中“容成造历”一句，把“历”字认作碓磨的“磨”字。

【原文】

谈说制文，援引古昔，必须眼学，勿信耳受。江南闾里间，士大夫或不学问，羞为鄙朴，道听途说，强事饰辞：呼徵质为周、郑，谓霍乱为博陆，上荆州必称陕西，下扬都言去海郡，言食则餬口，道钱则孔方，问移则楚丘，论婚则宴尔，及王则无不仲宣，语刘则无不公幹。凡有一二百件，传相祖述，寻问莫知原由，施安时复失所。庄生有乘时鹊起之说，故谢朓诗曰："鹊起登吴台。"吾有一亲表，作《七夕》诗云："今夜吴台鹊，亦共往填河。"《罗浮山记》云："望平地树如荠。"故戴暠诗云："长安树如荠。"又邺下有一人《咏树》诗云："遥望长安荠。"又尝见谓矜诞为夸毗，呼高年为富有春秋，皆耳学之过也。

【译文】

谈话写文章，援引古代典物，必须亲自去学书上的记载，而不要相信听闻传说。江南乡里，有些士大夫不做学问，又羞于被视为鄙陋粗俗，就道听途说，牵强附会，修饰言辞，以示高雅博学。比如，把"徵质"说成"周、郑"，把霍乱叫作"博陆"，上荆州一定要说去陕西，下扬都就说去海郡，谈起吃饭说是"糊口"，提到钱就称为"孔方"，问起迁徙的地方就说"楚丘"，谈论婚姻就说"宴尔"，讲到姓王的人无不代称为"仲宣"，谈起姓刘的人无不呼作"公干"。这样的例子有一二百个，士大夫在流传中互相学习，如果向他们寻根问底，谁也不知道这些说法的缘由，使用时常常不恰当。庄子有"乘时鹊起"的说法，所以谢朓的诗就说："鹊起登吴台。"我有一位表亲，作《七夕》诗说："今夜吴台鹊，亦共往填河。"

《罗浮山记》说:“望平地树如荠。”所以戴暠的诗就说:“长安树如荠。”邺下有个人的《咏树》诗说:“遥望长安荠。”我还曾经见过有人把“矜诞”解释为“夸毗”,称“高年”为“富有春秋”,这些都是“耳学”的过错。

【原文】

夫文字者,坟籍根本。世之学徒,多不晓字:读《五经》者,是徐邈而非许慎;习赋诵者,信褚诠而忽吕忱;明《史记》者,专徐、邹而废篆籀;学《汉书》者,悦应、苏而略《苍》《雅》。不知书音是其枝叶,小学乃其宗系。至见服虔、张揖音义则贵之,得《通俗》《广雅》而不屑。一手之中,向背如此,况异代各人乎?

【译文】

文字是书籍的根本。而世上求学者多不懂得学文字的重要:读《五经》的人,都肯定徐邈而非难许慎;学习辞赋的人,信奉褚诠而忽略吕忱;通晓《史记》的人,都专精徐野民、邹诞生的著作,而废弃了对篆籀文的钻研;学习《汉书》的人,喜欢应劭、苏林的注释,而忽略《三苍》《尔雅》。他们不明白语音只是文字的枝叶,而字义才是文字的根本。以致有人见了服虔、张揖对个别音义的解释,就十分重视,而得到他们著的《通俗文》《广雅》却不屑一顾。对同出一人之手的著作,居然这样厚此薄彼,何况对不同时代不同人的著作呢?

【原文】

夫学者贵能博闻也。郡国山川,官位姓族,衣服饮食,器皿制度,皆欲根寻,得其原本;至于文字，忽不经怀，己身姓名，多或乖舛，纵得不误，亦未知所由。近世有人为子制名：兄弟皆山傍立字，而有名峙者；兄弟皆手傍立字，而有名机者；兄弟皆水傍立字，而有名凝者。名儒硕学，此例甚多。若有知吾钟之不调，一何可笑。

【译文】

求学的人都以博闻为贵。他们对于郡国山川、官位姓族、衣服饮食、器皿制度，都要寻根问底，弄清它们的本原；但对于文字，却忽视而漫不经心，甚至连自己的姓名，也往往出现谬误，即使不出错误，也不知道它的由来。近世有些人为孩子起名字，兄弟几个的名字都用“山”作偏旁，其中就有取名为“峙”的；兄弟几个的名字都用“手”作偏旁，其中就有取名为“机”的；兄弟几个的名字都用“水”作偏旁，其中就有取名为“凝”的。在那些知名的大学者中，这类例子还很多。如果他们明白这就像晋平公的乐工听不出钟声的不协调一样，就会感到这是多么可笑。

【原文】

吾尝从齐主幸并州，自井陉关入上艾县，东数十里，有猎闾村。后百官受马粮在晋阳东百余里亢仇城侧。并不识二所本是何地，博求古今，皆未能晓。及检《字林》《韵集》，乃知猎闾是旧䜲余聚，亢仇旧是䅪㱚亭，悉属上艾。时太原王劭欲撰乡邑记注，因此二名闻之，大喜。

【译文】

我曾经跟从北齐的君主到并州去，从井陉关进入上艾县，再往东几十里，有一个猎闾村。后来百官接受马粮都在晋阳以东百余里的亢仇城旁边。大家都不知道上述两处历史上本是什么地方，广泛查阅古今书籍，都没有弄明白。直到翻检《字林》《韵集》，才知道猎闾就是原来的䜌余聚，亢仇原来叫䅎䣝亭，都属上艾县。当时太原的王劭想撰写乡邑记注，我把这两个旧地名告诉他，他听了非常高兴。

【原文】

吾初读《庄子》“螝（huì）二首”，《韩非子》曰：“虫有螝者，一身两口，争食相龁，遂相杀也。”茫然不识此字何音，逢人辄问，了无解者。案：《尔雅》诸书，蚕蛹名螝，又非二首两口贪害之物。后见《古今字诂》，此亦古之虺字，积年凝滞，豁然雾解。

【译文】

我开始读《庄子》中“螝二首”这一句时，发现《韩非子》说：“有一种叫螝的虫，一个身子两张口，为了争夺食物而互相咬龁，导致互相残杀。”我茫茫然不知道这个“螝”字读什么音，碰到人就问，却没有一个人知道。经考查，《尔雅》等书说，蚕蛹名螝，但又不是有两个头、两张口、贪吃有害的动物。后来见了《古今字诂》，才知道螝就是古代的“虺”字，我多年来积滞在胸中的疑难，一下子像大雾一样散开了。

【原文】

尝游赵州，见柏人城北有一小水，土人亦不知名。后读城西门徐整碑云：“洦流东指。”众皆不识。吾案《说文》，此字古魄字也，洦，浅水貌。此水汉来本无名矣，直以浅貌目之，或当即以洦为名乎？

【译文】

我曾经在赵州做官，看见柏人城北面有一条小河，当地人也不知道它的名字。后来我读了城西门徐整写的碑文，上面说："洦流东指。"大家都不知道它的意思。我查阅了《说文解字》，这个"洦"字就是古"魄"字。洦，指水浅的样子。这条河自汉代以来就没有名字，人们只把它当作一条浅河看待，或许就应当用这个"洦"字给它命名吧！

【原文】

世中书翰，多称勿勿，相承如此，不知所由，或有妄言此忽忽之残缺耳。案：《说文》："勿者，州里所建之旗也，象其柄及三斿之形，所以趣民事。故悤遽者称为勿勿。"

【译文】

世上的书信，里面多有"勿勿"二字，历来如此，互相传写，却不知道它的根由，有人胡说这就是"忽忽"的缺笔省写。经考证，《说文解字》上说："勿，是乡里所树立的旗帜。这个字像旗杆和旗帜末端三条飘带的形状，是用来催促民事的。所以就把匆忙急迫称为'勿勿'。"

【原文】

吾在益州，与数人同坐，初晴日晃，见地上小光，问左右："此是何物？"有一蜀竖就视，答云："是豆逼耳。"相顾愕然，不知所谓。命取将来，乃小豆也。穷访蜀士，呼粒为逼，时莫之解。

吾云："《三苍》《说文》，此字白下为匕，皆训粒，《通俗文》音方力反。"众皆欢悟。

【译文】

我在益州的时候，与几个人在一起闲坐，天刚放晴，阳光明晃晃的，我见地上有些小的光亮点，问左右的人："这是什么东西？"有一个蜀地的童仆走近看了看，回答道："是豆逼。"大家听了很惊讶地互相看着，不知道他说的是什么。我叫他拿过来，原来是小豆。我曾经一一询问过蜀地的人士，他们都把"粒"叫作"逼"，当时没有谁能解释清楚。我说："《三苍》《说文解字》中，这个字就是'白'下加'匕'，都解释为'粒'，《通俗文》注音作方力反。"大家高兴地领悟了。

【原文】

愍楚友婿窦如同从河州来，得一青鸟，驯养爱玩，举俗呼之为鹖(hé)。吾曰："鹖出上党，数曾见之，色并黄黑，无驳杂也。故陈思王《鹖赋》云：'扬玄黄之劲羽。'"试检《说文》："鴶雀似鹖而青，出羌中。"《韵集》音介。此疑顿释。

【译文】

愍楚的连襟窦如同从河州来，得到一只青色的鸟，把它驯养起来玩赏，所有的人都习惯地称这只鸟为"鹖"。我说："鹖出产在上党，我曾经见过多次，羽毛都是黄黑色的，没有其他杂色。所以曹植的《鹖赋》说：'鹖举起它那黄黑色的有力的翅膀。'"我试着翻阅《说文解字》，上面说："鴶雀像鹖而毛色是青的，出产在羌中。"《韵集》的注音为"介"。这个疑问顿时就消除了。

【原文】

梁世有蔡朗者讳纯，既不涉学，遂呼莼为露葵。面墙之徒，递相仿效。承圣中，遣一士大夫聘齐，齐主客郎李恕问梁使曰："江南有露葵否？"答曰："露葵是莼，水乡所出。卿今食者绿葵菜耳。"李亦学问，但不测彼之深浅，乍闻无以覈究。

【译文】

梁朝有位叫蔡朗的人，忌讳"纯"字，他不爱学习，把"莼"叫作"露葵"。那些不学无术之徒，也就一个跟着一个仿效。承圣年间，朝廷派一位士大夫出使北齐，北齐的主客郎李恕问这位梁朝的使者说："江南有露葵吗？"使者回答说："露葵就是莼菜，那是水泊中所出产的，您今天吃的就是绿葵菜。"李恕也是有学问的人，但不了解对方学识的深浅，猛一听他的回答，也无法核实追究。

【原文】

思鲁等姨夫彭城刘灵，尝与吾坐，诸子侍焉。吾问儒行、敏行曰："凡字与谘议名同音者，其数多少，能尽识乎？"答曰："未之究也，请导示之。"吾曰："凡如此例，不预研检，忽见不识，误以问人，反为无赖所欺，不容易也。"因为说之，得五十许字。诸刘叹曰："不意乃尔！"若遂不知，亦为异事。

【译文】

思鲁等人的姨夫彭城刘灵，曾经与我同坐闲谈，他的几个儿子在旁边陪侍。我问儒行、敏行说:“凡与你们父亲名字同音的字,它的数目共多少,你们都能认识吗?”他们回答说:“没有研究过这个问题,请您指教。”我说:“凡是像这一类的字,如果不预先研究翻检,忽然发现自己不认识时,拿去问错了人,反而会被无赖所欺骗,不能满不在乎啊。”于是我就给他们解说这个问题,共说出了五十多个字。刘灵的几个儿子感叹道:“想不到有这么多!”他们竟然不了解这个问题,那也确实是怪事。

【原文】

校定书籍,亦何容易,自扬雄、刘向,方称此职耳。观天下书未遍,不得妄下雌黄。或彼以为非,此以为是;或本同末异;或两文皆欠,不可偏信一隅也。

【译文】

校对订正书籍,又谈何容易。从扬雄、刘向开始,他们才算称职的人。没有看遍天下的书籍,就不能妄下定论。有时那里认为不对的地方,这里却认为是对的;有时主要内容是相同的,而小地方又有所不同;有时两种文本都有欠缺,不能偏信一个方面。

文章第九

【原文】

夫文章者，原出《五经》：诏命策檄，生于《书》者也；序述论议，生于《易》者也；歌咏赋颂，生于《诗》者也；祭祀哀诔，生于《礼》者也；书奏箴铭，生于《春秋》者也。朝廷宪章，军旅誓诰，敷显仁义，发明功德，牧民建国，施用多途。至于陶冶性灵，从容讽谏，入其滋味，亦乐事也。行有余力，则可习之。然而自古文人，多陷轻薄：屈原露才扬己，显暴君过；宋玉体貌容冶，见遇俳优；东方曼倩，滑稽不雅；司马长卿，窃赀无操；王褒过章《僮约》；扬雄德败《美新》；李陵降辱夷虏；刘歆反覆莽世；傅毅党附权门；班固盗窃父史；赵元叔抗竦过度；冯敬通浮华摈压；马季长佞媚获诮；蔡伯喈同恶受诛；吴质诋忤乡里；曹植悖慢犯法；杜笃乞假无厌；路粹隘狭已甚；陈琳实号粗疏；繁钦性无检格；刘桢屈强输作；王粲率躁见嫌；孔融、祢衡，诞傲致殒；杨修、丁廙，扇动取毙；阮籍无礼败俗；嵇康凌物凶终；傅玄忿斗免官；孙楚矜夸凌上；陆机犯顺履险；潘岳干没取危；颜延年负气摧黜；谢灵运空疏乱纪；王元长凶贼自诒；谢玄晖侮慢见及。

凡此诸人，皆其翘秀者，不能悉记，大较如此。至于帝王，亦或未免。自昔天子而有才华者，唯汉武、魏太祖、文帝、明帝、宋孝武帝，皆负世议，非懿德之君也。自子游、子夏、荀况、孟轲、枚乘、贾谊、苏武、张衡、左思之俦，有盛名而免过患者，时复闻之，但其损败居多耳。每尝思之，原其所积，文章之体，标举兴会，发引性灵，使人矜伐，故忽于持操，果于进取。今世文士，此患弥切，一事惬当，一句清巧，神厉九霄，志凌千载，自吟自赏，不觉更有傍人。加以砂砾所伤，惨于矛戟，讽刺之祸，速乎风尘，深宜防虑，以保元吉。

【译文】

文章，都来源于《五经》：诏、命、策、檄，产生于《尚书》；序、述、论、议，产生于《周易》；歌、咏、赋、颂，产生于《诗经》；祭、祀、哀、诔，产生于《礼经》；书、奏、箴、铭，产生于《春秋》。朝廷中的典章法制，军队里的誓词诰文，传布和彰显仁义，阐发和彰明功德，统治人民，建设国家，用途多种多样。至于以文章陶冶情操，或劝谏他人，进入到美好的状态，也是一件乐事。在遵奉忠孝仁义尚有余力的情况下，也可以学写文章。但是自古以来的文人，大多陷于轻薄：屈原显露才华，宣扬自己，揭露国君的过失；宋玉相貌美艳，被当作戏子对待；东方朔言行滑稽，缺乏雅致；司马相如攫取卓王孙的钱财，不讲节操；王褒私入寡妇之门，在《僮约》中自我暴露；扬雄在《剧秦美新》中歌颂王莽，败坏自己的品德；李陵向外族投降受辱；刘歆在王莽的新朝反复无常；傅毅依附权贵；班固剽窃父亲的《史记后传》；赵元叔过分倨傲；冯敬通秉性浮华遭压抑；马季长谄媚权贵遭讥讽；蔡伯喈依附董卓被杀；吴质横行乡里；曹植傲慢犯法；杜笃向人索求，不知满足；路粹心胸过分狭隘；陈琳粗枝大叶；繁钦不知检点约束；刘桢性格倔强，被罚做苦工；王粲轻率急躁，遭人嫌弃；孔融、祢衡放诞倨傲，招致杀身之祸；杨修、丁廙鼓动曹操立曹植为太子，反而自取灭亡；阮籍蔑视礼教，伤风败俗；嵇康盛气凌人，不得善终；傅玄负气争斗，被免官职；孙楚恃才自负，冒犯上司；陆机违反正道，自走绝路；潘岳唯利是图，遭到伤害；颜延年意气用事，致遭废黜；谢灵运空虚粗疏，扰乱朝纪；王元长凶恶残忍，自取恶果；谢朓轻佻而傲慢，遭到陷害。以上这些人，都是出类拔萃的文人，我不能全都记载下来，大致如此吧。即使是帝王，有时也难幸免。过去有才华的天子，只有汉武帝、魏太祖、魏文帝、魏明帝、宋孝武帝等数人，但他们都遭到世人的议论，并不是具有美德的君主。像子游、子夏、荀况、孟轲、枚乘、贾谊、苏武、张衡、左思等人，有盛名而又能避免过失的，不时也可以听到，但他们中遭到祸患的人还是占多数。我常常思考这个问题，推究其中所蕴含的道理，文章的本质，是揭示兴味、抒发感情的，因而容易使人恃才自夸，忽视节操，勇于追逐功利。当代的文人，这个缺点更加突出，若是一个典故用得妥当，一句诗文写得新奇，就神采飞扬，直达九霄，心气高傲，雄视千载，独自吟诵，独自叹赏，不觉世上还有旁人。加上言辞所造成的伤害，比矛、戟等对人的伤害更加残酷；讽刺带来的灾祸，比狂风飞尘还迅速。应该特别防备思虑，以保大福。

【原文】

学问有利钝，文章有巧拙。钝学累功，不妨精熟；拙文研思，终归蚩鄙。但成学士，自足为人；必乏天才，勿强操笔。吾见世人，至无才思，自谓清华，流布丑拙，亦以众矣，江南号为“诊痴符”。近在并州，有一士族，好为可笑诗赋，誂擎邢、魏诸公，众共嘲弄，虚相赞说，便击牛酾酒，招延声誉。其妻，明鉴妇人也，泣而谏之。此人叹曰：“才华不为妻子所容，何况行路！”至死不觉。自见之谓明，此诚难也。

【译文】

做学问有敏捷与迟钝之分，写文章有精巧与拙劣之别。做学问迟钝的人，肯不断努力，也能达到精通熟练；文章写得拙劣的人，再钻研思考，终究还是粗野鄙陋。只要能成为有学之士，也不枉在世上为人了。如果确实缺乏写作天才，就不要勉强提笔作文了。我看见世上某些人，极无才思，却说自己的文章清新华美，让丑陋拙劣的东西到处流传，这种人也太多了，江南一带称他们为“诊痴符”。最近并州有一位士族，喜欢写一些可笑的诗赋，与邢邵、魏收诸人开玩笑，大家嘲弄这位士族，假意称赞他，他就杀牛置酒宴请客人，以扩大自己的声誉。他的妻子是一位明白事理的妇人，哭着劝阻他。他叹息说：“我的才华不被妻子所容，何况陌生路人呢！”他至死也没有觉悟。自己能了解自己，才算得上聪明，做到这点，确实不容易啊。

【原文】

学为文章，先谋亲友，得其评裁，知可施行，然后出手；慎勿师心自任，取笑旁人也。自古执笔为文者，何可胜言。然至于宏丽精华，不过数十篇耳。但使不失体裁，辞意可观，便称才士；要须动俗盖世，亦俟河之清乎！

【译文】

学习写文章，应先找亲友征求意见，求得他们的批评裁断，知道可以在别人面前公开了，然后才能拿出手。千万不要固执己见，自以为是，以致被人耻笑。自古以来执笔写文章的人，多得说不完，但能达到宏伟精美的，不过几十篇而已。只要文章不脱离它应有的结构规范，辞意可观，就可称为才士了；一定要使自己的文章惊世骇俗，恐怕要等到黄河变清才有可能吧！

【原文】

不屈二姓，夷、齐之节也；何事非君，伊、箕之义也。自春秋已来，家有奔亡，国有吞灭，君臣固无常分矣；然而君子之交绝无恶声，一旦屈膝而事人，岂以存亡而改虑？陈孔璋居袁裁书，则呼操为豺狼；在魏制檄，则目绍为蛇虺。在时君所命，不得自专，然亦文人之巨患也，当务从容消息之。

【译文】

不屈身于两个王朝，是伯夷、叔齐的气节；可以侍奉任何君主，是伊尹、箕子的主张。自春秋以来，士大夫家族奔窜流亡，邦国也时常被吞并灭亡，国君与臣子本来就没有固定的关系。然而君子之间的交情，即使断绝也不会相互攻击辱骂，一旦屈膝侍奉别人，怎能因对方的存亡而改变初衷呢？陈孔璋为袁绍撰文，称曹操为豺狼；在魏国起草檄文，就把袁绍看作毒蛇。因为这是受当时君主之命，自己不能做主。但这也是文人的大毛病，你们应该认真斟酌。

【原文】

或问扬雄曰："吾子少而好赋？"雄曰："然。童子雕虫篆刻，壮夫不为也。"余窃非之曰：虞舜歌《南风》之诗，周公作《鸱鸮》之咏，吉甫、史克《雅》《颂》之美者，未闻皆在幼年累德也。孔子曰："不学《诗》，无以言。""自卫返鲁，乐正，《雅》《颂》各得其所。"大明孝道，引《诗》证之。扬雄安敢忽之也？若论"诗人之赋丽以则，辞人之赋丽以淫"，但知变之而已，又未知雄自为壮夫何如也？著《剧秦美新》，妄投于阁。周章怖慑，不达天命，童子之为耳。桓谭以胜老子，葛洪以方仲尼，使人叹息。此人直以晓算术，解阴阳，故著《太玄经》，数子为所惑耳；其遗言余行，孙卿、屈原之不及，安敢望大圣之清尘？且《太玄》今竟何用乎？不啻覆酱瓿而已。

【译文】

有人问扬雄说："您年轻时喜欢作赋吗？"扬雄说："是的。作赋好比儿童学写虫书和刻符，成年人是不会干的。"我私下反驳他说：虞舜吟唱《南风》诗，周公写《鸱鸮》诗，尹吉甫、史克写了《雅》《颂》中的一些美好篇章，没听说过他们是在幼年时代写的而损伤了品行。孔子说："不学《诗》，就不善辞令。"又说："我从卫国返回鲁国后，把《诗》的乐曲进行订正，使《雅》乐和《颂》乐都各得其所。"孔子为了弘扬孝道，就引用《诗》中的诗句来验证。扬雄怎么能忽视这些事实呢？如果说到"诗人的赋华丽而规范，辞人的赋华丽而过分"这句话，只不过表明扬雄懂得辨别二者的区别而已，却不知道他作为成年人该怎样去选择。扬雄写了《剧秦美新》，却糊糊涂涂从天禄阁上往下跳，惊慌恐惧，不能通达天命，这才是孩童的行为啊。桓谭认为扬雄超过了老子，葛洪拿扬雄与孔子相提并论，这实在让人叹息不公。扬雄只不过通晓算术，懂得阴阳学，所以写了《太玄经》，那几个人就被他迷惑了。他的遗言余行，连荀况、屈原都赶不上，哪里敢步大圣人的后尘呢？况且，《太玄经》在今天究竟有什么用处呢？不过用来盖酱瓿罢了。

【原文】

齐世有席毗者，清干之士，官至行台尚书，嗤鄙文学，嘲刘逖云："君辈辞藻，譬若荣华，须臾之玩，非宏才也；岂比吾徒千丈松树，常有风霜，不可凋悴矣！"刘应之曰："既有寒木，又发春华，何如也？"席笑曰："可哉！"

【译文】

齐朝有位叫席毗的人，是位清廉干练之士，官至行台尚书。他讥笑和鄙视文学，嘲讽刘逖说："你们的辞藻，好比朝菌，只供片刻观赏，不是大材料，哪能比得上我辈这样的千丈松树，尽管常有风霜侵袭，也不会凋零憔悴！"刘逖回答他说："既是耐寒的树木，又能开放春花，怎么样呢？"席毗笑着说："那当然可以了！"

【原文】

凡为文章，犹人乘骐骥，虽有逸气，当以衔勒制之，勿使流乱轨躅(zhuó)，放意填坑岸也。

【译文】

凡是写文章，好比骑着骏马，即使马有超群的气质，也应当用口衔铁勒来控制它，不要使它乱跑越轨，随意行动，以致陷入沟坑中。

【原文】

文章当以理致为心肾，气调为筋骨，事义为皮肤，华丽为冠冕。今世相承，趋末弃本，率多浮艳。辞与理竞，辞胜而理伏；事与才争，事繁而才损。放逸者流宕而忘归，穿凿者补缀而不足。时俗如此，安能独违？但务去泰去甚耳。必有盛才重誉，改革体裁者，实吾所希。

【译文】

文章应当以义理情致为心肾，以气韵才调为筋骨，以事实典故为皮肤，以华辞丽句为冠帽。现今相承的文风，追求枝节，放弃根本，文章大多浮浅华艳。文辞与义理相比较时，文辞强而义理弱；内容与才华争高低时，内容繁杂而才华不足。放纵者的文章，随意散漫，忘却了作文的主旨；雕琢者的文章，材料如补丁加补丁，而文采不足。时俗是这样的，谁又能单独避免呢？只是必须除去过分的华艳罢了。如果有谁才华出众，能改革当今的文章体制，这实在是我所希望的。

【原文】

古人之文，宏材逸气，体度风格，去今实

远；但缉缀疏朴，未为密致耳。今世音律谐靡，章句偶对，讳避精详，贤于往昔多矣。宜以古之制裁为本，今之辞调为末，并须两存，不可偏弃也。

【译文】

古人的文章，有重大的题材，有超群的气势，它的体制和风格，与今天的文章相比实在相距甚远；只是辞章简略质朴，不够严密细致。如今，文章的音韵格律和谐华丽，篇章语句配偶对称，避讳精确详尽，比过去强多了。应当以古人的文章体制为根本，以今人的文辞音调为辅助，求得两者并存，不可偏废。

【原文】

吾家世文章，甚为典正，不从流俗。梁孝元在藩邸时，撰《西府新文》，讫无一篇见录者，亦以不偶于世，无郑、卫之音故也。有诗赋铭诔书表启疏二十卷，吾兄弟始在草土，并未得编次，便遭火荡尽，竟不传于世。衔酷茹恨，彻于心髓！操行见于《梁史·文士传》及孝元《怀旧志》。

【译文】

先父的文章，十分典雅纯正，不随流俗。梁孝元帝为湘东王时，编成《西府新文》，先父的文章竟没有一篇被收录，这是因为他的文章不合世人的口味，没有《郑风》《卫风》那种靡靡之音的缘故。他有诗、赋、铭、诔、书、表、启、疏共二十卷，我们几兄弟正在守丧，都没有来得及编辑整理，就碰上火灾被烧光了，以致不能流传于世。我怀此悲痛遗憾，痛彻心肺骨髓！先父的节操品行，见于《梁史 · 文士传》及孝元帝的《怀旧志》。

【原文】

沈隐侯曰："文章当从三易：易见事，一也；易识字，二也；易读诵，三也。"邢子才常曰："沈侯文章，用事不使人觉，若胸臆语也。"深以此服之。祖孝徵亦尝谓吾曰："沈诗云：'崖倾护石髓。'此岂似用事邪？"

【译文】

沈约说："文章应当遵从'三易'的原则：用典明白易懂，这是第一点；文字容易认识，这是第二点；容易诵读，这是第三点。"邢子才常说："沈约的文章，用典让人感觉不到，好似发自内心的话。"因此深深佩服他。祖孝徵也曾经对我说："沈约有诗说：'崖倾护石髓。'这难道像在用典吗？"

【原文】

邢子才、魏收俱有重名，时俗准的，以为师匠。邢赏服沈约而轻任昉，魏爱慕任昉而毁沈约，每于谈宴，辞色以之。邺下纷纭，各有朋党。祖孝徵尝谓吾曰："任、沈之是非，乃邢、魏之优劣也。"

【译文】

邢子才和魏收名声都很大，当时人将他们作为榜样，当成宗师。邢子才欣赏和佩服沈约而轻视任昉，魏收爱慕任昉而诋毁沈约，他们每次在宴会谈论时，言辞激烈，形于脸色。邺下人物众多，各有朋党。祖孝徵曾对我说："任昉和沈约的是非，实际上对应的就是邢子才和魏收的优劣。"

【原文】

《吴均集》有《破镜赋》。昔者，邑号朝歌，颜渊不舍；里名胜母，曾子敛襟：盖忌夫恶名之伤实也。破镜乃凶逆之兽，事见《汉书》，为文幸避此名也。比世往往见有和人诗者，题云敬同，《孝经》云："资于事父以事君而敬同。"不可轻言也。梁世费旭诗云："不知是耶非。"殷沄诗云："飖飏云母舟。"简文曰："旭既不识其父，沄又飖飏其母。"此虽悉古事，不可用也。世人或有文章引《诗》"伐鼓渊渊"者，《宋书》已有屡游之诮；如此流比，幸须避之。北面事亲，别舅摛《渭阳》之咏；堂上养老，送兄赋桓山之悲，皆大失也。举此一隅，触涂宜慎。

【译文】

《吴均集》中有《破镜赋》一文。古时候，有座城邑名为"朝歌"，颜渊因此不在这里停宿；有个小村名为"胜母"，曾子到此赶紧整饬衣襟：他们大约是担心这些不好的名称损伤了事物的内涵。破镜是一种凶恶的野兽，见于《汉书》，写文章时应避开这个名词。近代常常看见有人和诗时题上"敬同"二字，《孝经》上说："资于事父以事君而敬同。"这两个字是不能随便说的。梁朝费旭的诗说："不知是耶非。"殷沄的诗说："飖飏云母舟。"简文帝讥讽他们说："费旭既不认识他的父亲，殷沄又让他的母亲四处飘荡。”这些虽然都是旧事，也不可以随便乱用。有人在文章中引用“伐鼓渊渊”的诗句，《宋书》对这类不考虑反切的引语屡有讥讽。诸如此类的字句，一定要避免使用。有人尚在侍奉母亲，与舅舅分别时却吟唱《渭阳》诗；有人父亲尚健在，送别兄长时却引用“桓山之鸟”的典故，这些都是重大的错误。举出这些例子，是希望你们处处慎重。

【原文】

江南文制，欲人弹射，知有病累，随即改之，陈王得之于丁廙也。山东风俗，不通击难。吾初入邺，遂尝以此忤人，至今为悔；汝曹必无轻议也。

【译文】

江南人写文章，要求别人指正，知道了毛病在哪里，立刻改正，曹植从丁廙那里感受到了这种好风气。山东地区的风俗，不允许别人批评自己的文章。我刚到邺城的时候，便因此而触犯了一些人，至今后悔；你们一定不要轻率地议论别人的文章。

【原文】

凡代人为文，皆作彼语，理宜然矣。至于哀伤凶祸之辞，不可辄代。蔡邕为胡金盈作《母灵表颂》曰：“悲母氏之不永，然委我而夙丧。”又为胡颢作其父铭曰：“葬我考议郎君。”《袁三公颂》曰：“猗欤我祖，出自有妫。”王粲为潘文则《思亲诗》云：“躬此劳悴，鞠予小人；庶我显妣，克保遐年。”而并载乎邕、粲之集，此例甚众。古人之所行，今世以为讳。陈思王《武帝诔》，遂深永蛰之思；潘岳《悼亡赋》，乃怆手泽之遗。是方父于虫，匹妇于考也。蔡邕《杨秉碑》云：“统大麓之重。”潘尼《赠卢景宣诗》云：“九五思飞龙。”孙楚《王骠骑诔》云：“奄忽登遐。”陆机《父诔》云：“亿兆宅心，敦叙百揆。”《姊诔》云：“伣(qiàn)天之和。”今为此言，则朝廷之罪人也。王粲《赠杨德祖诗》云：“我君饯之，其乐泄泄。”不可妄施人子，况储君乎？

【译文】

凡是代别人写文章，都使用对方的语气，道理上应该如此。至于涉及哀悼伤痛、死亡灾祸一类的文章，不可随便代笔。蔡邕替胡金盈写的《母灵表颂》说：“悲痛母亲寿不长久，为何丢弃我而早逝？”又替胡颢写他父亲的墓志铭说：“埋葬先父议郎君。”还有《袁三公颂》说：“我们德高望重的祖先，封于有妫。”王粲替潘文则写的《思亲诗》说：“您如此劳苦，抚育我辈儿女；希望我们的父母，能够保养长寿。”这些都刊载在蔡邕、王粲的文集中，例子很多。古人是这样写的，今天就被认为是犯讳了。曹植在《武帝诔》中用“永蛰”表示对父亲的思念；潘岳在《悼亡赋》中用“手泽”抒发看见亡妻遗物而引起的伤感。前者是将父亲比作虫子，后者则是将妻子等同于亡父了。蔡邕的《杨秉碑》说：“总管天下的重大事务。”潘尼的《赠卢景宣诗》说：“皇位正盼有飞龙出现。”孙楚的《王骠骑诔》说：“迅速登遐。”陆机的《父诔》说：“百姓归心，百官和睦。”《姊诔》说：“她像天女一样。”如果今天谁写这种话，就是朝廷的罪人了。王粲的《赠杨德祖诗》说：“我君设宴送别，悠闲快乐。”这种话是不可以胡乱用于一般人的孩子的，何况是太子呢？

【原文】

挽歌辞者，或云古者《虞殡》之歌，或云出自田横之客，皆为生者悼往告哀之意。陆平原多为死人自叹之言，诗格既无此例，又乖制作本意。

【译文】

挽歌辞，有人说是古代的《虞殡》歌，有人说出自田横的门客，都是生者用来追悼死者、表达哀思的。陆机写的《挽歌诗》大多是死者自叹之辞，诗的体例中既没有这种例子，又违背了作诗的本意。

【原文】

凡诗人之作，刺箴美颂，各有源流，未尝混杂，善恶同篇也。陆机为《齐讴篇》，前叙山川物产风教之盛，后章忽鄙山川之情，殊失厥体。其为《吴趋行》，何不陈子光、夫差乎？《京洛行》，胡不述赧王、灵帝乎？

【译文】

凡是诗人的作品，讽喻的、规谏的、赞美的、颂扬的，各有各的源流，不曾混杂，以致善和恶的内容同处一篇之中。陆机作《齐讴行》，前面部分叙述山川、物产、风俗、教化的兴盛，后面部分突然抒发轻视山川的情感，完全丧失诗的完整体制。他写《吴趋行》，为什么不陈述阖闾、夫差的事情呢？写《京洛行》，为什么不陈述周赧王、汉灵帝的事情呢？

【原文】

自古宏才博学，用事误者有矣；百家杂说，或有不同，书傥湮灭，后人不见，故未敢轻议之。今指知决纰缪者，略举一两端以为诫。《诗》云："有鷕(yǎo)雉鸣。"又曰："雉鸣求其牡。"毛《传》亦曰："鷕，雌雉声。"又云："雉之朝雊，尚求其雌。"郑玄注《月令》亦云："雊，雄雉鸣。"潘岳赋曰："雉鷕鷕以朝雊。"是则混杂其雄雌矣。《诗》云："孔怀兄弟。"孔，甚也；怀，思也，言甚可思也。陆机《与长沙顾母书》，述从祖弟士璜死，乃言："痛心拔脑，有如孔怀。"心既痛矣，即为甚思，何故方言有如也？观其此意，当谓亲兄弟为孔怀。《诗》云："父母孔迩。"而呼二亲为孔迩，于义通乎？《异物志》云："拥剑状如蟹，但一螯偏大尔。"何逊诗云："跃鱼如拥剑。"是不分鱼蟹也。《汉书》："御史府中列柏树，常有野鸟数千，栖宿其上，晨去暮来，号朝夕鸟。"而文士往往误作乌鸢用之。《抱朴子》说项曼都诈称得仙，自云："仙人以流霞一杯与我饮之，辄不饥渴。"而简文诗云："霞流抱朴碗。"亦犹郭象以惠施之辨为庄周言也。《后汉书》："囚司徒崔烈以锒铛锁。"锒铛，大锁也；世间多误作金银字。武烈太子亦是数千卷学士，尝作诗云："银锁三公脚，刀撞仆射头。"为俗所误。

【译文】

自古以来，宏才博学的人，错用典故的事常有；诸子百家的学说，内容各不相同，书籍如已湮灭，后人见不到，所以不敢随便谈论它们。现在我略举一两件肯定是错谬的事例，让你们引以为戒。《诗经》说："野鸡鸣叫。"又说："野鸡叫着找求雄性。"《毛诗古训传》也说："鷕，是雌雉的叫声。"又说："野鸡早晨鸣叫，还在寻找雌性。"郑玄注解《月令》也说："雊，雄雉的鸣叫声。"潘岳的赋却说："野鸡鷕鷕地在早晨鸣叫。"这就混淆了野鸡的雌雄。《诗经》说："孔怀兄弟。""孔"，意为"很"；"怀"，意为"思念"；"孔怀"，意为"十分想念"。陆机《与长沙顾母书》，叙述从祖弟士璜之死，却说："痛心绞脑，好像孔怀一样。"内心既然悲痛，就是十分思念，为什么又说"好像"呢？看他这句话的意思，应该是把亲兄弟说成了"孔怀"。《诗经》说："父母很近。"把父母亲称为"孔迩"，在意义上说得通吗？《异物志》说："拥剑的形状像螃蟹，但有一对螯偏大。"何逊的诗说："鱼跳跃得像拥剑。"这是没有分清鱼和螃蟹的区别。《汉书》说："御史府中栽种了许多柏树，常常有几千野鸟，栖宿在树上，晨去暮来，被称为'朝夕鸟'。"而文人们往往把它误作"乌鸢"来使用。《抱朴子》说，项曼都诈称遇见了仙人，自言："仙人拿一杯流霞给我喝，我就不饥渴。"而梁简文帝的诗说："霞流是抱朴子的碗。"这也好像郭象把惠施的辩说当成庄周的话了。《后汉书》说："用银铛把司徒崔烈囚禁起来。"锒铛，是大铁锁链，世上大多把"锒"字误写成金银的"银"字。武烈太子也是饱读数千卷书的学者了，曾经作诗说："银锁三公脚，刀撞仆射头。"这是被世俗的写法误导了。

【原文】

文章地理，必须惬当。梁简文《雁门太守

行》乃云："鹅军攻日逐，燕骑荡康居，大宛归善马，小月送降书。"萧子晖《陇头水》云："天寒陇水急，散漫俱分泻，北注徂黄龙，东流会白马。"此亦明珠之颣(lèi)，美玉之瑕，宜慎之。

【译文】

文章中涉及地理的记述，必须准确恰当。梁简文帝的《雁门太守行》竟说："鹅军攻击日逐王，燕骑扫荡康居国，大宛送来善马，小月送来降书。"萧子晖的《陇头水》说："天寒陇水湍急，都散漫地分泻，北边流注到黄龙，向东流与白马渡相接。"这些诗句把一些不相关联的地名扯到一起了，虽不是严重的错误，但就像是明珠中的毛病、美玉中的瑕疵，应该慎重对待。

【原文】

王籍《入若耶溪》诗云："蝉噪林逾静，鸟鸣山更幽。"江南以为文外断绝，物无异议。简文吟咏，不能忘之；孝元讽味，以为不可复得，至《怀旧志》载于《籍传》。范阳卢询祖，邺下才俊，乃言："此不成语，何事于能？"魏收亦然其论。《诗》云："萧萧马鸣，悠悠旆旌。"《毛传》曰："言不諠哗也。"吾每叹此解有情致，籍诗生于此耳。

【译文】

王籍的《入若耶溪》诗说："蝉噪林逾静，鸟鸣山更幽。"江南文人认为这两句诗无与伦比，没有人持异议。梁简文帝常常咏吟，不能忘记这两句诗；梁孝元帝诵读品味后，也认为不可再得，以至于他在《怀旧志》中把这两句诗记载在《王籍传》中。范阳人卢询祖，是邺下的才俊之士，却说："这两句不算诗，怎么说他有才能呢？"魏收也同意他的评论。《诗经》说："萧萧马鸣，悠悠旆旌。"《毛诗故训传》说："此诗意是安静而不嘈杂。"我时常赞叹这个解释有情致，王籍的诗句就是由此产生的。

【原文】

兰陵萧悫，梁室上黄侯之子，工于篇什。尝有《秋诗》云："芙蓉露下落，杨柳月中疏。"时人未之赏也。吾爱其萧散，宛然在目。颍川荀仲举、琅邪诸葛汉，亦以为尔。而卢思道之徒，雅所不惬。

【译文】

兰陵人萧悫，是梁朝上黄侯萧晔的儿子，擅长写诗作文。他曾有《秋诗》说："芙蓉露下落，杨柳月中疏。"当时没有人欣赏这两句诗。我却喜欢它清雅闲散，其情其景宛然如在眼前。颍川人荀仲举、琅琊人诸葛汉也认为是这样的。但卢思道等人，对这两句诗很不以为然。

【原文】

何逊诗实为清巧，多形似之言；扬都论者，恨其每病苦辛，饶贫寒气，不及刘孝绰之雍容也。虽然，刘甚忌之，平生诵何诗，常云："'蘧车响北阙'，愊愊不道车。"又撰《诗苑》，止取何两篇，时人讥其不广。刘孝绰当时既有重名，无所与让；唯服谢朓，常以谢诗置几案间，动静辄讽味。简文爱陶渊明文，亦复如此。江南语

曰："梁有三何，子朗最多。"三何者，逊及思澄、子朗也。子朗信饶清巧。思澄游庐山，每有佳篇，亦为冠绝。

【译文】

何逊的诗确实清雅奇巧，较多生动形象的语句；扬都的议论者抱怨他的诗中常有苦辛之病，多贫寒之气，赶不上刘孝绰的温文尔雅。虽然这样，刘孝绰还是很忌妒他，平时读何逊的诗，常常说："'蘧车响北阙'，这是一种乖离情理、没有礼节的车子。"他又撰《诗苑》，其中只选取了何逊的两首诗，当时人们都讥笑他取材不广。刘孝绰虽然有大名声，却不谦让，只佩服谢朓，常常把谢朓的诗放在几案上，时不时地诵读品味一番。梁简文帝爱陶渊明的文章，也是这样。江南人说："梁朝有三个姓何的，子朗的诗最多。"三个姓何的，指何逊、何思澄和何子朗。何子朗的诗确实清雅奇巧。何思澄游庐山时，常有佳作问世，也是冠绝群伦的。

名实第十

【原文】

名之与实，犹形之与影也。德艺周厚，则名必善焉；容色姝丽，则影必美焉。今不修身而求令名于世者，犹貌甚恶而责妍影于镜也。上士忘名，中士立名，下士窃名。忘名者，体道合德，享鬼神之福佑，非所以求名也；立名者，修身慎行，惧荣观之不显，非所以让名也；窃名者，厚貌深奸，干浮华之虚称，非所以得名也。

【译文】

名声与实际的关系，好似形体与影子的关系。一个人如果德才兼备，名声一定会好；一个人如果容貌美丽，身影一定也好看。现在有些人不注重修身养性，却企求有美好的名声传扬于社会，这好比相貌很丑陋，却要求有漂亮的形象出现在镜子中。上等士人忘却名声，中等士人努力树立名声，下等士人竭力窃取名声。忘却名声的人，体察事物的道理，言行符合道德规范，因而享受鬼神的赐福和保佑，他们的名声不需要去求取；有意树立名声的人，修养品德，慎重言行，担心自己不能显扬荣誉，他们对名声是不会谦让的；窃取名声的人，貌似忠厚而心怀大奸，追求浮华的虚名，他们是不会得到好名声的。

【原文】

人足所履，不过数寸，然而咫尺之途，必颠

蹶于崖岸；拱把之梁，每沉溺于川谷者，何哉？为其旁无余地故也。君子之立己，抑亦如之。至诚之言，人未能信；至洁之行，物或致疑，皆由言行声名，无余地也。吾每为人所毁，常以此自责。若能开方轨之路，广造舟之航，则仲由之言信，重于登坛之盟，赵熹之降城，贤于折冲之将矣。

【译文】

人们的脚能踩到的，不过几寸土地，然而在仅有咫尺宽的险路上行走，一定会从山崖上摔下来；从一两抱粗的独木桥上走过，往往会掉下桥淹没河中。为什么呢？因为人的脚旁没有余地。君子要在社会上立足，似乎也是这个道理。最诚实的话，别人不会相信；最高洁的行为，别人往往产生怀疑，这都是因为这类言论、行动的名声太好，未留有余地。我每当被别人诋毁，常常以此责备自己。如果能开辟平坦的大道，加宽渡河的浮桥，就能像子路那样说话真实可信，胜似诸侯登坛结盟的誓约；像赵熹那样能招降对方城池，赛过冲锋陷阵的将军。

【原文】

吾见世人，清名登而金贝入，信誉显而然诺亏，不知后之矛戟，毁前之干橹也。虙子贱云："诚于此者形于彼。"人之虚实真伪在乎心，无不见乎迹，但察之未熟耳。一为察之所鉴，巧伪不如拙诚，承之以羞大矣。伯石让卿，王莽辞政，当于尔时，自以巧密；后人书之，留传万代，可为骨寒毛竖也。近有大贵，以孝著声，前后居丧，哀毁逾制，亦足以高于人矣。而尝于苫(shān)块之中，以巴豆涂脸，遂使成疮，表哭泣之过。左右僮竖，不能掩之，益使外人谓其居处饮食，皆为不信。以一伪丧百诚者，乃贪名不已故也。

【译文】

我见世上有些人，树立了清白的名声之后，就敛聚钱财，信誉传扬出去以后，就不信守诺言，不知道后者的矛戟，可以损坏前者的盾牌。虙子贱说："内心诚信，总会从外表显现出来。"人们的虚实真伪出于内心，没有不在形迹中显露出来的，只是人们考察得不深入细致罢了。一旦通过考察来鉴别，巧伪的人就不如拙诚的人，遭到的羞辱也就大了。伯石辞让卿位，王莽辞让大司马，在那个时候，他们自认为做得乖巧周密。后人把他们的言行记载下来，留传到万代，使人们读后毛骨悚然。最近有位大贵人，以孝敬著名，前后几次守丧，悲伤超过了丧礼制度，也足以超越常人了。然而他曾在寝草垫枕土块的时候，用巴豆汁涂在脸上，使脸上长出了疮疤，表示他哭泣得非常厉害。而在他身边的童仆面前，却无法遮掩这一作假的事实，这就更加使外人认为他在居处饮食方面所表露的孝心,都是不可相信的。因为一次虚伪而使百次诚实丢失了,这是无休止地贪求名声的缘故。

【原文】

有一士族,读书不过二三百卷,天才钝拙,而家世殷厚,雅自矜持,多以酒犊珍玩,交诸名士,甘其饵者,递共吹嘘。朝廷以为文华,亦尝出境聘。东莱王韩晋明笃好文学,疑彼制作,多非机杼,遂设宴言,面相讨试。竟日欢谐,辞人满席,属音赋韵,命笔为诗,彼造次即成,了非向韵。众客各自沉吟,遂无觉者。韩退叹曰:"果如所量!"韩又尝问曰:"玉珽杼上终葵首,当作何形?"乃答云:"珽头曲圜,势如葵叶耳。"韩既有学,忍笑为吾说之。

【译文】

有一位出身士族的人,读的书不超过两三百卷,天性迟钝笨拙,但家里非常富足,他历来以此自负自夸,常常拿出酒肉珍宝来结交名士,那些甘心接受他的利诱的人,不断地为他吹嘘。朝廷也认为他有才华,曾经令他出国访问。东莱王韩晋明非常爱好文学,怀疑他的诗文作品大多不是出自他的胸臆,于是摆设宴席,约他谈论,想当面试试他。参加宴饮的人整天欢乐和谐,满座词人骚客,选择音韵,提笔吟诗,而这位士族子弟也一挥而就,但完全不是他过去的诗作的韵味了。宾客们都在沉吟低唱,没有人发觉他诗作的异常情况。韩晋明退席感叹地说:"果然像我料想的一样!"韩晋明又问他说:"玉珽向上刮削到终葵首以后,应该成为什么形状?"他回答说:"玉珽的头部弯曲成圆形，那样子就像葵叶。”韩晋明颇有学问，忍着笑向我说了这件事。

【原文】

治点子弟文章，以为声价，大弊事也。一则不可常继，终露其情；二则学者有凭，益不精励。

【译文】

帮助子弟修改和润饰文章，以此使他们抬高身价，这是最大的弊端。一是不可能永远这样做，最终会暴露实情；二是初学者有了依靠，更加不会努力奋发了。

【原文】

邺下有一少年，出为襄国令，颇自勉笃。公事经怀，每加抚恤，以求声誉。凡遣兵役，握手送离，或赍梨枣饼饵，人人赠别，云：“上命相烦，情所不忍；道路饥渴，以此见思。”民庶称之，不容于口。及迁为泗州别驾，此费日广，不可常周，一有伪情，触涂难继，功绩遂损败矣。

【译文】

邺下有一位年轻人，出外担任襄国县令，相当勤勉踏实，办公事尽心尽意，对下属常常体恤，希望以此博取好名声。每当派遣男丁去服兵役，他都亲自握手送别，或者送给服役者梨子、枣子、糕饼等，还对每个人都发表临别赠言：“上级的命令，有劳各位，我内心实在不忍。你们路上饥渴，凭此薄礼可以看到我的思念之情。”百姓称颂他，赞不绝口。等他升任泗州别驾后，这类费用一天比一天多，不可能每一次都做得周到，一旦有了虚情假意，就很难继续下去，过去的功绩也就没了。

【原文】

或问曰："夫神灭形消，遗声余价，亦犹蝉壳蛇皮，兽迒鸟迹耳，何预于死者，而圣人以为名教乎？"对曰："劝也，劝其立名，则获其实。且劝一伯夷，而千万人立清风矣；劝一季札，而千万人立仁风矣；劝一柳下惠，而千万人立贞风矣；劝一史鱼，而千万人立直风矣。故圣人欲其鱼鳞凤翼，杂沓参差，不绝于世，岂不弘哉？四海悠悠，皆慕名者，盖因其情而致其善耳。抑又论之，祖考之嘉名美誉，亦子孙之冕服墙宇也，自古及今，获其庇荫者亦众矣。夫修善立名者，亦犹筑室树果，生则获其利，死则遗其泽。世之汲汲者，不达此意，若其与魂爽俱升，松柏偕茂者，惑矣哉！"

【译文】

有人问道："人死之后，灵魂湮灭，身体消失，留在世上的名声和价值，就像蝉蜕下的壳、蛇蜕掉的皮、鸟兽留下的足迹，与死去的人毫不相干，而圣人为什么要把它作为教化的内容呢？"我回答他说："那是为了劝勉大家，劝勉人们树立好的名声，就可以指望有实际的益处。况且劝勉人们向伯夷学习，成千上万的人就可以树立起清白的风气了；劝勉人们向季札学习，成千上万的人就可以树立起仁爱的风气了；劝勉人们向柳下惠学习，成千上万的人就可以树立起忠贞的风气了；

劝勉人们向史鱼学习，成千上万的人就可以树立起正直的风气了。所以圣人希望世上的人才像鱼鳞凤翼一样众多，而又各有所长，连绵不断地涌现，这个心愿难道不伟大吗？四海之内，百姓众庶，都爱慕名声，应该根据他们的这种特性，引导他们走上正道。或许还可以这样说：祖先们的美好声誉，也就相当于子孙们的礼服和大厦，从古到今得到这种庇荫的人也够多了。广行善事树立名声，好像建筑房屋、栽种果树，活着时能得到它的好处，死后也可把恩泽遗及后人。世上急切追逐名利的人，不明白这个道理，以为人的魂魄与精神同生同灭，就像松树与柏树同枯同茂一样，这是多么糊涂啊！”

涉务第十一

【原文】

士君子之处世，贵能有益于物耳，不徒高谈虚论，左琴右书，以费人君禄位也。国之用材，大较不过六事：一则朝廷之臣，取其鉴达治体，经纶博雅；二则文史之臣，取其著述宪章，不忘前古；三则军旅之臣，取其断决有谋，强干习事；四则蕃屏之臣，取其明练风俗，清白爱民；五则使命之臣，取其识变从宜，不辱君命；六则兴造之臣，取其程功节费，开略有术，此则皆勤学守行者所能辨也。人性有长短，岂责具美于六涂哉？但当皆晓指趣，能守一职，便无愧耳。

【译文】

君子生活在世上，可贵的是对社会有益，不能光高谈空论，弹琴写字，耗费君主给予的俸禄官爵。国家使用人才，大体上不外乎六种：第一种是朝廷之臣，要求他们能通晓政治方略，规划处理大事时知识广博，作风纯正；第二种是文史之臣，要求他们能撰述典章制度，使今人不忘前代的经验教训；第三种是军旅之臣，要求他们指挥果断，且有谋略，坚强干练，熟悉战阵；第四种是藩屏之臣，要求他们能通晓民情风俗，清正廉洁，爱护百姓；第五种是使命之臣，要求他们能洞察时势，应变恰当，不辜负国君交付的使命；第六种是兴造之臣，要求他们能提高功效，节约费用，善于筹划。这些都是勤于学习、坚守操行的人才能做到的。人的资质各有高下，怎能要求一个人以上六种才能都具备呢？只不过人人都应明白要旨，能够做好一项职务，也就问心无愧了。

【原文】

吾见世中文学之士，品藻古今，若指诸掌，及有试用，多无所堪。居承平之世，不知有丧乱之祸；处庙堂之下，不知有战陈之急；保俸禄之资，不知有耕稼之苦；肆吏民之上，不知有劳役之勤，故难可以应世经务也。晋朝南渡，优借士族；故江南冠带，有才干者，擢为令仆已下，尚书郎、中书舍人已上，典掌机要。其余文义之士，多迂诞浮华，不涉世务；纤微过失，又惜行捶楚，所以处于清高，盖护其短也。至于台阁令史，主书监帅，诸王签省，并晓习吏用，济办时须；纵有小人之态，皆可鞭杖肃督，故多见委使，盖用其长也。人每不自量，举世怨梁武帝父子爱小人而疏士大夫，此亦眼不能见其睫耳。

【译文】

我看世上那些文学之士，品评古今，好像了如指掌，等到试用他们时，大都不能胜任。他们生活在社会安定的时代，不知道会有丧国乱民的灾祸；他们在朝中为官，不知道战事的急迫；他们有可靠的俸禄收入，不知道耕种的辛苦；他们高居于吏民之上，不知道劳役的艰辛，所以难以靠他们去应付世变，处理事务。晋朝廷南渡后，优待士族，所以江南的士人，凡有才干的，都被提拔为尚书令、尚书仆射以下，尚书郎、中书舍人以上的官员，掌管机要大事。其余只懂得谈文弄墨的书生，大都迂阔荒诞、华而不实，不接触社会实际事务；如若有些小小过失，又怜惜他们受到杖责，所以安排他们在清高的职位上，这是为他们护短。至于尚书省的令史、主书、监帅，诸王身边的签帅、省事等，都要熟悉官府事务，能成功地办理一时的重要政务；他们纵有小小不良的行为，都可鞭打杖责，严加督促，所以他们多被委任，这也是用其所长。人往往不能正确估计自己，大家都埋怨梁武帝父子亲近小人而疏远士大夫，这也就像眼睛看不见自己的睫毛一样。

【原文】

梁世士大夫，皆尚褒衣博带，大冠高履，出则车舆，入则扶侍，郊郭之内，无乘马者。周弘正为宣城王所爱，给一果下马，常服御之，举朝以为放达。至乃尚书郎乘马，则纠劾之。及侯景之乱，肤脆骨柔，不堪行步，体羸气弱，不耐寒暑，坐死仓猝者，往往而然。建康令王复性既儒雅，未尝乘骑，见马嘶喷陆梁，莫不震慑，乃谓人曰："正是虎，何故名为马乎？"其风俗至此。

【译文】

梁朝的士大夫，都喜欢宽衣博带、大帽高履，出门就乘坐车舆，进门靠童仆服侍，他们去城内或郊外，没有骑马的。周弘正很受宣城王的宠爱，宣城王送给他一匹果下马，他时常骑着外出，满朝官员都认为他放纵旷达，不拘礼数。以至于尚书郎骑马出入，还会被纠察弹劾。等到侯景之乱时，士大夫肌肤细弱，筋骨娇柔，不堪奔波，加上身体羸弱，气血不足，受不了严寒酷暑，在仓促变乱中坐而等死的，往往是这些人。建康令王复，性格温文儒雅，从未骑过马，看到马嘶叫跳跃，都震惊害怕，竟对别人说："这是老虎，为什么把它叫作马呢？"当时的风气竟到了这种地步。

【原文】

古人欲知稼穑之艰难，斯盖贵谷务本之道也。夫食为民天，民非食不生矣，三日不粒，父子不能相存。耕种之，茠(hāo)鉏(chú)之，刈获之，载积之，打拂之，簸扬之，凡几涉手，而入仓廪，安可轻农事而贵末业哉？江南朝士，因晋中兴，南渡江，卒为羁旅，至今八九世，未有力田，悉资俸禄而食耳。假令有者，皆信僮仆为之，未尝目观起一拨土，耘一株苗；不知几月当下，几月当收，安识世间余务乎？故治官则不了，营家则不办，皆优闲之过也。

【译文】

古人想知道春种秋收的艰难，这大约体现了重视粮食生产、以农为本的思想。吃饭是民生的头等大事，百姓没有粮食就不能生存，三天不吃一粒粮食，父子都不能互相照顾。种一次庄稼，要经过耕种、除草、收割、运载、脱粒、簸扬，一共要经过几种工序，粮食才能入库，怎么可以轻农业而重商业呢？江南的士大夫，随着晋朝的中兴，从北方南渡长江，最后寄居江南，到现在已有八九代了，但从未下田耕作过，完全依赖朝廷的俸禄生活。即使家里有田地，也全靠童仆耕种，从未亲眼看到翻过一寸土，种过一株苗；更不知道哪月下种，哪月收割，哪里懂得世间的其他事务呢？所以他们当官不知道如何当，治家不懂得如何经营，这都是养尊处优所造成的危害。

省事第十二

【原文】

铭金人云:“无多言,多言多败;无多事,多事多患。”至哉斯戒也!能走者夺其翼,善飞者减其指,有角者无上齿,丰后者无前足,盖天道不使物有兼焉也。古人云:“多为少善,不如执一;鼫(shí)鼠五能,不成伎术。”近世有两人,朗悟士也,性多营综,略无成名,经不足以待问,史不足以讨论,文章无可传于集录,书迹未堪以留爱玩,卜筮射六得三,医药治十差五,音乐在数十人下,弓矢在千百人中,天文、画绘、棋博、鲜卑语、胡书、煎胡桃油、炼锡为银,如此之类,略得梗概,皆不通熟。惜乎,以彼神明,若省其异端,当精妙也。

【译文】

有一尊铜人的背上刻着:“别多话,多话就多挫折;别多事,多事就多祸患。”这一训诫多么中肯啊!能跑的,不长翅膀;会飞的,缺少脚趾;有角的,没有上齿;后腿长的,前足退化,这大概是大自然不让动物兼具各种长处。古人说:“干得多而很少有干得好的,不如专心干好一件事;鼫鼠有五种技能,却没有一种技能顶用。”近世有两个人,都是聪明颖悟的人,兴趣广泛,却毫无一点名声,因为他们的经学知识经不起盘问,史学知识经不起讨论,文章没有可留传于集子上的,书法手迹不值得留以观赏，为人卜筮六次只有三次准确，治病开药十次有五次出现差错，音乐造诣在几十人之下，弓矢技能在千百人里算中等，至于在天文、绘画、棋艺、鲜卑语、胡人文字、煎胡桃油、炼锡成银之类事情上，只了解些大概情况，都不精熟。可惜呀，凭他们的聪明，如果割弃其他的爱好，肯定在某个方面能达到精妙的水平。

【原文】

上书陈事，起自战国，逮于两汉，风流弥广。原其体度：攻人主之长短，谏诤之徒也；讦群臣之得失，讼诉之类也；陈国家之利害，对策之伍也；带私情之与夺，游说之俦也。总此四涂，贾诚以求位，鬻言以干禄。或无丝毫之益，而有不省之困，幸而感悟人主，为时所纳，初获不赀之赏，终陷不测之诛，则严助、朱买臣、吾丘寿王、主父偃之类甚众。良史所书，盖取其狂狷一介，论政得失耳，非士君子守法度者所为也。今世所睹，怀瑾瑜而握兰桂者，悉耻为之。守门诣阙，献书言计，率多空薄，高自矜夸，无经略之大体，咸秕糠之微事，十条之中，一不足采，纵合时务，已漏先觉，非谓不知，但患知而不行耳。或被发奸私，面相酬证，事途回穴，翻惧愆尤；人主外护声教，脱加含养，此仍侥幸之徒，不足与比肩也。

【译文】

给人主上书陈述意见的做法，起源于战国时期，到了两汉，此风流行愈广。推究它的体例，指责人主长短的，是谏诤之臣；批评群臣得失的，是好讼之辈；陈说国家利害的，是对策之徒；利用感情使人主作出决策的，属游说之士。总括这四类人的做法，都是贩卖他们的诚心来换取官位，出售他们的言论来谋求利禄。有的无丝毫益处，反而会有使人主不省悟的困扰，即使侥幸使人主感悟，当时被采纳，他们起初虽能获得不可估量的奖赏，最终还是会陷于不可预测的诛杀，这就是严助、朱买臣、吾丘寿王、主父偃这类的很多人。优秀史官所记载的，大概只选取洁身自好、耿介不阿的人，以评论时政得失罢了，但这不是谨守法度的士君子所为。现在我们看到，怀“美玉”、佩“异香”的德才兼备的人，都耻于干这类事。那些守候公门，趋赴朝廷，给皇帝献书言计的人，大都空疏浅薄，自傲自夸，毫无治理国家的方略，都谈些秕糠之类的琐事，十条建议中，没有一条值得采纳，即使偶有与实际切合的意见，也早已被先觉者提出。不是人们不知道，只担心知而不行。甚至有些献书言计者被揭发包藏私心，当面与人对证，他们反会愧惧交加；即使人主为了对外维护朝廷的声誉和教化，或许对他们加以包涵，但这是些侥幸之徒，不值得与之为伍。

【原文】

谏诤之徒，以正人君之失尔，必在得言之地，当尽匡赞之规，不容苟免偷安，垂头塞耳；至于就养有方，思不出位，干非其任，斯则罪人。故《表记》云："事君，远而谏，则谄也；近而不谏，则尸利也。"《论语》曰："未信而谏，人以为谤己也。"

【译文】

谏诤者的目的是纠正国君的失误，这就必须先使自己处在能够说话的地位，并且应当尽量匡助和襄赞人君，决不可苟且偷安、垂头塞耳。至于侍奉国君，要万事适当，不要超越职权，如果干涉职责以外的事，就会成为朝廷的罪人。所以《礼记·表记》说："侍奉国君，如果关系疏远却去劝谏，就是谄媚了；如果关系亲近而不劝谏，那就是尸位求利了。"《论语·子张》说："未取得国君的信任，就去劝谏，国君会认为在诽谤自己。"

【原文】

君子当守道崇德，蓄价待时，爵禄不登，信由天命。须求趋竞，不顾羞惭，比较材能，斟量功伐，厉色扬声，东怨西怒；或有劫持宰相瑕疵，而获酬谢，或有諠聒时人视听，求见发遣。以此得官，谓为才力，何异盗食致饱，窃衣取温哉！世见躁竞得官者，便谓"弗索何获"；不知时运之来，不求亦至也。见静退未遇者，便谓"弗为胡成"；不知风云不与，徒求无益也。凡不求而自得，求而不得者，焉可胜算乎！

【译文】

君子应当坚守信仰，崇尚道德，蓄积声价，等待时机，如果仍然不能晋升官禄，实在是由于天命。为达到某种需求而东奔西走，不顾羞耻，与人攀比才能，衡量功绩，声色俱厉，怨这恨那，有人甚至以宰相的缺点为要挟，从而获得官禄；还有人喧闹扰乱人们的视听，求得被任用。靠这些手段求得官职，还声称自己有才干与能力，这与偷食致饱、窃衣取暖有什么区别呢！世人看见那些奔走钻营而得官的人，就说“不去追求怎能获得官位呢？”却不知道时运一到，不去追求官位也会来的。看到那些恬静谦让而没得到官职的人，又说“不做怎么会成功呢？”却不知道不到风云际会之时，一味追求也是无益的。世间那些不追求而有所得，或追求而无所得的人，能数得清吗！

【原文】

齐之季世，多以财货托附外家，喧动女谒。拜守宰者，印组光华，车骑辉赫，荣兼九族，取贵一时。而为执政所患，随而伺察，既以利得，必以利殆，微染风尘，便乖肃正，坑阱殊深，疮痏(wěi)未复，纵得免死，莫不破家，然后噬脐，亦复何及。吾自南及北，未尝一言与时人论身分也，不能通达，亦无尤焉。

【译文】

北齐末年，不少人用钱财去请托依附外戚，通过得宠女子去进言求官。那些被任为地方官吏的，印绶光艳华丽，车马辉煌显赫，荣耀兼及九族，富贵显达一时。可一旦被执政者怨恨，随之对他们考察调查，那些得利的，也定会因利而遇到危殆，只要稍稍染上仕途恶习，背离为官应有的严肃公正，陷阱是相当深的，创伤是不能平复的，即使能免除一死，却没有不家道败落的。到了这种程度，才噬脐后悔，也来不及了。我从南方走到北方，从未与时人说过一句有关自己身份的话，这样虽然不能官运显达，但也绝无怨言。

【原文】

王子晋云："佐饔得尝，佐斗得伤。"此言为善则预，为恶则去，不欲党人非义之事也。凡损于物，皆无与焉。然而穷鸟入怀，仁人所悯；况死士归我，当弃之乎？伍员之托渔舟，季布之入广柳，孔融之藏张俭，孙嵩之匿赵岐，前代之所贵，而吾之所行也，以此得罪，甘心瞑目。至如郭解之代人报仇，灌夫之横怒求地，游侠之徒，非君子之所为也。如有逆乱之行，得罪于君亲者，又不足恤焉。亲友之迫危难也，家财己力，当无所吝；若横生图计，无理请谒，非吾教也。墨翟之徒，世谓热腹；杨朱之侣，世谓冷肠。肠不可冷，腹不可热，当以仁义为节文尔。

【译文】

王子晋说："帮厨的人，能尝到美味；助人殴斗的人，可能要受伤。"这是说，别人做好事，应当去援助，别人干坏事，便要离开，不要帮别人去做不仁不义之事。大凡对社会有损害的事，都不可参与。走投无路的小鸟投入怀中，仁慈的人总会怜悯它；何况视死如归的勇士来投奔我，能弃之不管吗？伍员将后半生寄托在渔舟上，季布藏身于广柳车中，孔融匿藏张俭，孙嵩匿藏赵岐，这些都是前代人所看重的，也是我所信奉的，即使因此而获罪，我也心甘情愿，死而无憾。至于像郭解代人报仇，灌夫怒责田蚡为朋友争地，都是游侠的行为，不是君子所为。如果有逆乱犯上的行为，得罪了人君和父母，就不值得同情。亲戚朋友遇到危难，尽家中的财物与自己的能力去解救，不应当吝惜；若是有人横生心计、无理请求，就不是我要你们同情的了。墨子一类的人，被称为热心肠；杨朱一类的人，则被称为冷肚肠。人生在世，肠不应冷，腹不可热，应当以仁义来节制言行。

【原文】

前在修文令曹，有山东学士与关中太史竞历，凡十余人，纷纭累岁，内史牒付议官平之。吾执论曰："大抵诸儒所争，四分并减分两家尔。历象之要，可以晷景测之；今验其分至薄蚀，则四分疏而减分密。疏者则称政令有宽猛，运行致盈缩，非算之失也；密者则云日月有迟速，以术求之，预知其度，无灾祥也。用疏则藏奸而不信，用密则任数而违经。且议官所知，不能精于讼者，以浅裁深，安有肯服？既非格令所司，幸勿当也。”举曹贵贱，咸以为然。有一礼官，耻为此让，苦欲留连，强加考覈。机杼既薄，无以测量，还复采访讼人，窥望长短，朝夕聚议，寒暑烦劳，背春涉冬，竟无予夺，怨诮滋生，赧然而退，终为内史所迫：此好名之辱也。

【译文】

从前我在修文令官署的时候，有些山东学士与关中太守争论历法问题，总共有十几个人，纷纷扰扰地争执了好几年，内史发文牒请议官评定此事。我提出说：“大体上儒生们所争论的，可分为四分历和减分历两家。历算天象的要点，可通过日晷仪的影像来测定；现在以此来检验两种历法中有关春分、秋分、夏至、冬至以及日蚀、月蚀的情况，可发现四分法疏略而减分法周密。疏略者声称政治法令也有严有松，日月的运行也相应会有不足或超前，并非历法计算的误差；细密者却说日月运行有快有慢，用正确的方法来计算，可预先知道它们运行的情况，没有什么灾祸和吉祥之说。使用疏略的四分历，可能隐藏伪诈而失却真实；使用细密的减分历，可能顺应了天象而违背了经义。而且议官所了解的，不可能比争论双方更精深，由浅薄者去裁判高深者，怎能让人信服呢？这件事既然不属法律法令的范围，希望不要去裁断谁是谁非。”整个官署的人无论地位高低，都认为我的看法正确。有一位礼官却认为这样做是一种耻辱，苦苦地要求不放下这个问题，想方设法地对两种历法去进行考核。他这方面的知识本来就少，又无法实地测算，回过头来，仍去采访争执双方，想借此判断二者的优劣。他们早晚聚在一起议论，由寒到暑，从春到冬，劳顿烦苦，终不能作出判断，抱怨讥嘲之声滋生，只得抱愧退场，最后还被内史搞得十分窘迫：这是好出风头所招惹来的耻辱。

止足第十三

【原文】

《礼》云："欲不可纵，志不可满。"宇宙可臻其极，情性不知其穷，唯在少欲知足，为立涯限尔。先祖靖侯戒子侄曰："汝家书生门户，世无富贵；自今仕宦不可过二千石，婚姻勿贪势家。"吾终身服膺，以为名言也。

【译文】

《礼记》说："欲望不可放纵，志向不可盈满。"宇宙虽大，也可达到极限，人的情性却不知道止境，只有寡欲而知足，才可以为自己划定一个界限。先祖靖侯告诫子侄们说："你们的家是书香门第，世世代代没有出现过大富大贵之人；从现在起，你们步入仕途，不可担任超过二千石的官职；婚姻大事上不可高攀有权有势的人家。"我对这些话终生信奉，把它当作至理名言。

【原文】

天地鬼神之道，皆恶满盈。谦虚冲损，可以免害。人生衣趣以覆寒露，食趣以塞饥乏耳。形骸之内，尚不得奢靡，己身之外，而欲穷骄泰耶？周穆王、秦始皇、汉武帝，富有四海，贵为天子，不知纪极，犹自败累，况士庶乎？常以二十口家，奴婢盛多，不可出二十人，良田十顷，堂室才蔽风雨，车马仅代杖策，蓄财数万，以拟吉凶急速。不啻此者，以义散之；不至此者，勿非道求之。

【译文】

天地鬼神都憎恶盈满。谦虚淡泊，可以免除灾害。人生在世，穿衣能御寒、饮食能充饥就行了。在保护身体方面，尚且不得奢侈浪费，己身以外的东西，还要穷奢极欲吗？周穆王、秦始皇、汉武帝，都富得拥有四海，贵得当上天子，但他们还不知满足，尚且遭到败损，何况士人和百姓呢？我常常认为，二十口人的家庭，奴婢最多不可超出二十人，良田只需十顷，房屋只求能避风雨，车马只求可以代步，积蓄几万钱财，预备婚丧急用。超过这个数量，就该仗义疏财；达不到这个数量，也不要用不正当的手段去贪求。

【原文】

仕宦称泰，不过处在中品，前望五十人，后顾五十人，足以免耻辱，无倾危也。高此者，便当罢谢，偃仰私庭。吾近为黄门郎，已可收退；当时羁旅，惧罹谤讟(dú)，思为此计，仅未暇尔。自丧乱已来，见因托风云，侥倖富贵，旦执机权，夜填坑谷，朔欢卓、郑，晦泣颜、原者，非十人五人也。慎之哉！慎之哉！

【译文】

做官要做得平安，就不要做超过中等级别的官，向前看有五十人，向后望有五十人，这就足以免除耻辱，又不担风险。高过这个级别，便应当谢绝，安居家中。我近来担任黄门侍郎，已经可以告退了；当时因客居异乡，怕贸然请退会遭到诽谤，虽有这个想法，却找不到适当的机会。自从天下大乱以来，我看见那些乘时而起、侥幸富贵的人，白天还在执掌大权，晚上就尸填坑谷；月初还在高兴自己与卓氏、程郑一样富有，月底就悲泣自己像颜渊、原宪一样贫穷。这样的人，不止十个五个啊，千万要小心又小心啊！

诫兵第十四

【原文】

颜氏之先，本乎邹、鲁，或分入齐，世以儒雅为业，遍在书记。仲尼门徒，升堂者七十有二，颜氏居八人焉。秦、汉、魏、晋，下逮齐、梁，未有用兵以取达者。春秋世，颜高、颜鸣、颜息、颜羽之徒，皆一斗夫耳。齐有颜涿聚，赵有颜冣，汉末有颜良，宋有颜延之，并处将军之任，竟以颠覆。汉郎颜驷，自称好武，更无事迹。颜忠以党楚王受诛，颜俊以据武威见杀，得姓已来，无清操者，唯此二人，皆罹祸败。顷世乱离，衣冠之士，虽无身手，或聚徒众，违弃素业，徼幸战功。吾既羸薄，仰惟前代，故寘(zhì)心于此，子孙志之。孔子力翘门关，不以力闻，此圣证也。吾见今世士大夫，才有气干，便倚赖之，不能被甲执兵，以卫社稷；但微行险服，逞弄拳腕，大则陷危亡，小则贻耻辱，遂无免者。

【译文】

颜氏的祖先，源出于邹国、鲁国一带，有的分支到了齐国，世世代代都以儒雅为业，这全记载在书籍中。孔子的门生，学问精深的有七十二人，颜氏占了八人。从秦、汉、魏、晋，往下数到齐、梁，颜氏家族中没有靠用武而显达的。春秋时期，颜高、颜鸣、颜息、颜羽等人，都是一些武夫斗士。齐国有颜涿聚，赵国有颜冣，汉朝末年有颜良，东晋末年有颜延之，都处在将军的职位上，但最终竟因此而遭祸。汉朝的郎官颜驷，自称喜爱武艺，但没有事迹流传。颜忠因党附楚王被诛，颜俊因割据武威被杀，自有颜姓以来，没有高尚节操的，只有这两个人，都招致了灾祸败亡。近世遭逢战乱，士大夫们虽然没有武艺，但有的也聚集徒众，放弃历来的儒学，去侥幸求取战功。我的身体既已衰弱，又想起前人的教训，所以放弃一切习武的想法，子子孙孙都应该记住这点。孔子的力气可举起城门的关卡，但他不以有力闻名，这是从圣人那里得来的例证。我看到当今的士大夫们，才有点气力才干，就以此自恃，又不能披铠甲执兵器，去保卫国家；只知穿上剑客的服装，形迹诡秘，逞弄拳术，大则使自己陷于危亡，小则给自己带来耻辱，竟没有一个能幸免的。

【原文】

国之兴亡，兵之胜败，博学所至，幸讨论之。入帷幄之中，参庙堂之上，不能为主尽规以谋社稷，君子所耻也。然而每见文士，颇读兵书，微有经略，若居承平之世，睥睨宫阃，幸灾乐祸，首为逆乱，诖误善良；如在兵革之时，构扇反复，纵横说诱，不识存亡，强相扶戴：此皆陷身灭族之本也。诫之哉！诫之哉！

【译文】

对国家的兴亡、军队的胜败，如果自己具有广博的知识，才可以参与讨论。一个人进入了国家的决策部门，在朝廷上参与国政，不能为君主尽规划之责，以谋求国家利益，这是君子所引以为耻的。但常见一些文士，粗略地读了些兵书，稍微有一点谋略，倘若处在太平之世，他们便窥伺宫廷动静，幸宫廷之灾，乐宫廷之祸，领头叛乱，欺骗和误导善良人士；倘若处在战争时期，他们便反复挑拨煽动，到处游说引诱，不了解存亡的大势所趋，竭力扶持拥戴别人称王称霸：这些都是丧身灭族的根源。警惕啊，警惕啊！

【原文】

习五兵，便乘骑，正可称武夫尔。今世士大夫，但不读书，即称武夫儿，乃饭囊酒瓮也。

【译文】

掌握了五种兵器，会骑马，方可称作武夫。现世的士大夫，只要不读书，就自称为武夫，其实是些饭袋酒坛！

养生第十五

【原文】

神仙之事，未可全诬；但性命在天，或难钟值。人生居世，触途牵絷：幼少之日，既有供养之勤；成立之年，便增妻孥之累。衣食资须，公私驱役；而望遁迹山林，超然尘滓，千万不遇一尔。加以金玉之费，炉器所须，益非贫士所办。学如牛毛，成如麟角。华山之下，白骨如莽，何有可遂之理？考之内教，纵使得仙，终当有死，不能出世。不愿汝曹专精于此。若其爱养神明，调护气息，慎节起卧，均适寒暄，禁忌食饮，将饵药物，遂其所禀，不为夭折者，吾无间然。诸药饵法，不废世务也。庾肩吾常服槐实，年七十余，目看细字，须发犹黑。邺中朝士，有单服杏仁、枸杞、黄精、术、车前得益者甚多，不能一一说尔。吾尝患齿，摇动欲落，饮食热冷，皆苦疼痛。见《抱朴子》牢齿之法，早朝叩齿三百下为良；行之数日，即便平愈，今恒持之。此辈小术，无损于事，亦可修也。凡欲饵药，陶隐居《太清方》中总录甚备，但须精审，不可轻脱。近有王爱州在邺学服松脂，不得节度，肠塞而死。为药所误者甚多。

【译文】

关于神仙的事，不可认为全是假的；只是人的命运决定于上天，很难说会碰上好运还是遭遇厄运。人生在世，到处都有牵挂：少年之时，已有供养父母的辛劳；成年以后，便增加了妻子儿女的拖累。还有穿衣吃饭的费用，公事私事的役使；如果希望隐身山林，超脱尘世，千万人中遇不到一个。加上修炼金浆玉醴的费用，置办炉子器具的钱财，更不是贫苦人所能办到的。学道求仙的人多如牛毛，而真正成功的却少如麟角。华山之下，求仙未成者的白骨多得像草芥，哪有可以遂心如愿的道理呢？考察佛教典籍的记载，即使成仙，最终还会死亡，不能超脱尘世。我不愿你们把精力放在这上面。如果你们爱惜保养精神，调理护卫气息，谨慎地调节作息时间，有效地适应天气的寒暖，注意饮食禁忌，服用养生药物，达到上天所赋予的寿命，不致夭折，那我也就无可批评了。药物的服用要得法，不可耽误了正事。庾肩吾经常服食槐实，七十多岁还能看清小字，头发胡须还是黑色的。邺中的朝臣们，有人只服食杏仁、枸杞、黄精、苍术、车前等，得益的很多，我在此不一一陈说。我曾经患了牙病，牙齿摇动欲落，饮食过冷过热都相当疼痛。后来看了《抱朴子》记载的固齿法，早晨叩齿三百下为最好；我试了几天就好了，现在我仍坚持这样做。这类小方子，对我们的事业没有损害，也可以学习。大凡要服药，陶弘景的《太清方》记录得很详备，只是必须仔细了解，不可轻率。最近有个叫王爱州的人，在邺下效法人家服食松脂，因为没有把握分量，肠道梗塞而死。这种被药物贻误的例子很多。

【原文】

夫养生者先须虑祸，全身保性。有此生然

后养之，勿徒养其无生也。单豹养于内而丧外，张毅养于外而丧内，前贤所戒也。嵇康著《养生》之论，而以傲物受刑；石崇冀服饵之征，而以贪溺取祸，往世之所迷也。

【译文】

考虑养生的人，首先必须考虑可能发生的灾难，必须保全自己的性命。有了生命，然后才能养护它，不要徒然保养不存在的生命。单豹善于保养身心，却因意外的灾祸而丧生；张毅善于驱凶避祸，却因体内有病而早死。这些都是前贤引以为戒的。嵇康著有《养生论》，却因为人倨傲而受到刑罚；石崇希望获得服用药物而延年的验证，却因贪得无厌而遭杀身之祸。这些都是因为前人不明白养生与全身的道理。

【原文】

夫生不可不惜，不可苟惜。涉险畏之途，干祸难之事，贪欲以伤生，谗慝(tè)而致死，此君子之所惜哉；行诚孝而见贼，履仁义而得罪，丧身以全家，泯躯而济国，君子不咎也。自乱离已来，吾见名臣贤士，临难求生，终为不救，徒取窘辱，令人愤懑。侯景之乱，王公将相，多被戮辱，妃主姬妾，略无全者。唯吴郡太守张嵊，建义不捷，为贼所害，辞色不挠；及鄱阳王世子谢夫人，登屋诟怒，见射而毙。夫人，谢遵女也。何贤智操行若此之难？婢妾引决若此之易？悲夫！

【译文】

自己的生命不能不爱惜，但不可苟且偷生。涉足险要之途，干些招灾惹难的事情，放纵欲望而伤及生命，受到谗佞而致死亡，这些都是君子所痛惜的。尽忠尽孝而被杀害，行仁行义而获罪咎，舍身以保全家庭，捐躯以挽救国家，君子对这些是不会自责的。自从发生战乱以来，我看见一些名臣贤士，临难求生，最后也没有得救，只白白地自取羞辱，实在令人气愤。侯景叛乱时，王公将相，大多被杀，公主姬妾，也少有保全的。只有吴郡太守张嵊，树起义旗，虽未取胜，被叛军所杀，但言辞神色没有被折服的表现。还有鄱阳王世子萧嗣的夫人谢氏，登上屋顶，怒骂叛贼，直至被叛军射死。这位夫人是谢遵的女儿。为什么贤能智慧的王公将相保持操守如此之难，而婢女妻妾从容赴死却如此容易呢？可悲啊！

归心第十六

【原文】

三世之事，信而有征，家世归心，勿轻慢也。其间妙旨，具诸经论，不复于此，少能赞述；但惧汝曹犹未牢固，略重劝诱尔。

【译文】

佛家所说的“三世”的事情，确实是有根据的，我家世代心归佛门，不可轻视怠慢。佛教中的精妙主旨，全都载于各经、论之中，我在此不再赞颂和转述了；只是担心你们的信念还不坚牢，故在此再稍作一些劝说诱导。

【原文】

原夫四尘五荫，剖析形有；六舟三驾，运载群生：万行归空，千门入善，辩才智惠，岂徒《七经》、百氏之博哉？明非尧、舜、周、孔所及也。内外两教，本为一体，渐积为异，深浅不同。内典初门，设五种禁；外典仁义礼智信，皆与之符。仁者，不杀之禁也；义者，不盗之禁也；礼者，不邪之禁也；智者，不酒之禁也；信者，不妄之禁也。至如畋狩军旅，燕享刑罚，因民之性，不可卒除，就为之节，使不淫滥尔。归周、孔而背释宗，何其迷也！

【译文】

推究佛教的“四尘”和“五荫”的道理，就可以剖析世间的事物；借助佛教的“六舟”、“三驾”，就可以普度众生：万种行动都应归入空门，千种法门都可引至善良境界，佛教经论中的辩才和智慧，岂止儒家《七经》和诸子百家那样的广博？显然不是尧、舜、周公、孔子所能赶上的。内教和外教本来同为一体，只是渐悟与理归有差异，各自的经义深浅不同。内教经典的初级阶段，设有五种禁戒；外教经典中说的仁、义、礼、智、信，都与五禁相符。仁，是不杀生的禁戒；义，是不盗窃的禁戒；礼，是不邪僻的禁戒；智，是不酗酒的禁戒；信，是不虚妄的禁戒。至于像狩猎、征战、饮宴、刑罚等等，应顺应人民的本性，不可仓促废除，只需要对它们进行节制，使其不过分罢了。归依周公、孔子，而违背佛教宗旨的人，何等糊涂啊！

【原文】

俗之谤者，大抵有五：其一，以世界外事及神化无方为迂诞也；其二，以吉凶祸福或未报应为欺诳也；其三，以僧尼行业多不精纯为奸慝也；其四，以糜费金宝减耗课役为损国也；其五，以纵有因缘如报善恶，安能辛苦今日之甲，利益后世之乙乎？为异人也。今并释之于下云。

【译文】

世俗对佛教的诽谤，大体上有五种：一是认为，佛教对世界以外的事情和神化了的事情不能说清，是迂阔荒唐的；二是认为，吉、凶、祸、福有时没有报应，因而佛教是欺诈蒙骗；三是认为，和尚尼姑行业中有不少不清白的人，是庙寺藏奸纳污；四是认为，寺庙浪费金银财宝，不交税、不服役，是损害国家利益的；五是认为，即使有因缘，有善恶报应，怎么能使今天的甲辛苦，而使后世的乙获利呢？他们是两个不同的人啊。现在，我对这些诽谤一并解释如下。

【原文】

释一曰：夫遥大之物，宁可度量？今人所知，莫若天地。天为积气，地为积块，日为阳精，月为阴精，星为万物之精，儒家所安也。星有坠落，乃为石矣；精若是石，不得有光，性又质重，何所系属？一星之径，大者百里，一宿首尾，相去数万；百里之物，数万相连，阔狭从斜，常不盈缩。又星与日月，形色同尔，但以大小为其等差；然而日月又当石也？石既牢密，乌兔焉容？石在气中，岂能独运？日月星辰，若皆是气，气体轻浮，当与天合，往来环转，不得错违，其间迟疾，理宜一等；何故日月五星二十八宿，各有度数，移动不均？宁当气坠，忽变为石？地既滓浊，法应沉厚，凿土得泉，乃浮水上；积水之下，复有何物？江河百谷，从何处生？东流到海，何为不溢？归塘尾闾，渫何所到？沃焦之石，何气所然？潮汐去还，谁所节度？天汉悬指，那不散落？水性就下，何故上腾？天地初开，便有星宿；九州未划，列国未分，翦疆区野，若为躔次？封建已来，谁所制割？国有增减，星无进退，灾祥祸福，就中不差；乾象

之大，列星之伙，何为分野，止系中国？昴为旄头，匈奴之次；西胡、东越，雕题、交阯，独弃之乎？以此而求，迄无了者，岂得以人事寻常？抑必宇宙外也。

【译文】

解释之一是：对那些极远极大的事物，怎么能够测量呢？今人所知道的最大的物体，莫过于天地。天是气体积聚而成的，地是块垒堆积而成的，太阳是阳刚之气的精华，月亮是阴柔之气的精华，星辰是宇宙万物的精华，这是儒家的说法。星星也有坠落下来的时候，到地上就成了石头；这万物的精华如果是石头，就不会有光芒，石头的特质很沉重，它们靠什么悬挂在天上呢？一颗星星的直径，大的有一百里，一个星座的首尾相距数万里；直径百里的物体，连成数万里，宽窄纵横，竟然保持一定而没有盈缩变化。再者，星辰与日月，形状、色泽是相同的，只是大小有别。既然是这样，太阳和月亮也是石头吗？石头很坚固，乌鸟、白兔怎样容身呢？石头在空气中，怎么能自行运转呢？太阳、月亮、星星如果都是气体，而气体是轻浮的东西，它们就该与天空合为一体，来回运转，不能错位，其速度的快慢，按理应该一样，为什么太阳、月亮、五大星辰、二十八宿的运行，各有不同的度数，运行的速度也不一样呢？为什么作为气体的星星，坠落地上忽然变成了石头呢？大地既然是浊气下沉的东西，按理应该厚重结实，但向地下挖掘，就可挖出泉水，这说明大地浮在水上面，那么积水的下面还有什么呢？江河、泉水，从哪里来的呢？它们向东流入大海，为什么又不会满溢呢？海水从归塘尾闾流出来，又排泄到哪里去了呢？如果说海水是被沃焦石烧干的，那沃焦石又是被什么气体点燃的呢？潮汐的涨落，靠谁来调度节制呢？银河悬在天上，为什么不散落下来呢？水往低处流，为什么会上升到天空去了呢？开天辟地的时候，就有星宿；那时九州尚未划分，列国也尚未分封，更未划分疆域，为何星宿有运行的轨迹呢？分封诸侯国以来，又是谁在掌管呢？地上的国家有增有减，天上的星辰却没有增减，人世间的吉凶祸福，照样层出不穷。天地之大，星宿之多，为什么以天上星宿的位置，来划分地上的州郡区域，而又只限于中原地区呢？被称为旄头的昴星是代表胡人的，它所指示的方向，对着匈奴的疆域；而西胡、东越、雕题、交阯这些地区，就被上天抛弃了吗？对于上述问题的探求，至今无人明白，怎能用人世间寻常的道理解释得了？还是到宇宙之外另找答案吧。

【原文】

凡人之信，唯耳与目；耳目之外，咸致疑焉。儒家说天，自有数义：或浑或盖，乍宣乍安。斗极所周，管维所属，若所亲见，不容不同；若所测量，宁足依据？何故信凡人之臆说，迷大圣之妙旨，而欲必无恒沙世界、微尘数劫也？而邹衍亦有九州之谈。山中人不信有鱼大如木，海上人不信有木大如鱼；汉武不信弦胶，魏文不信火布；胡人见锦，不信有虫食树吐丝所成；昔在江南，不信有千人毡帐，及来河北，不信有二万斛船：皆实验也。

【译文】

一般人所相信的，只有自己的耳朵与眼睛；对耳闻目睹之外的事物，都会产生怀疑。儒家谈论天，有几种说法：有的说天包着地，有的说天盖着地，有的说日月星辰飘浮在空中，有的说天与海水相接，地在海水之中。还有人认为，北斗七星围绕北极星，靠斗枢支撑运转。这些，如果能亲眼看见，便不容许有不同看法了；如果是凭推测，又怎么能作为判断的依据呢？为什么要相信普通人的主观猜测，怀疑佛祖的精妙教义，非得认为没有恒河沙粒那样多的世界，不相信微小尘埃也曾经历多次劫难呢？况且，邹衍也曾提出过中国之外还有九州的说法。山中人不相信有鱼像树一样大，海上人不相信有树像鱼一样大；汉武帝不相信有粘合断弦的胶，魏文帝不相信有经得住火烧的布；胡人看见锦缎，不相信它是一种虫食了树叶吐出丝织成的；从前我在江南，不相信有千人共住的毡帐，等来到了黄河之北，不相信有能装二万斛货物的船：可这些都是实实在在存在的东西。

【原文】

世有祝师及诸幻术，犹能履火蹈刃，种瓜移井，倏忽之间，十变五化。人力所为，尚能如此；何况神通感应，不可思量，千里宝幢，百由旬座，化成净土，踊出妙塔乎？

【译文】

世上有巫师及懂各种幻术的人,他们能踩大火,蹈刀刃,撒籽立即得瓜,水井随意移动,在转瞬之间,可产生出种种变化。这是人力所为,尚且能够做到这样,何况神灵的神奇感应之力,超乎常人的想象,致使高达千里的幢旗、广达数千里的莲花宝座,可以化成极乐净土,涌出七层宝塔!

【原文】

释二曰:夫信谤之征,有如影响;耳闻目见,其事已多,或乃精诚不深,业缘未感,时傥差阑,终当获报耳。善恶之行,祸福所归。九流百氏,皆同此论,岂独释典为虚妄乎?项橐、颜回之短折,伯夷、原宪之冻馁,盗跖、庄蹻之福寿,齐景、桓魋(tuí)之富强,若引之先业,冀以后生,更为通耳。如以行善而偶钟祸报,为恶而傥值福征,便生怨尤,即为欺诡;则亦尧、舜之云虚,周、孔之不实也,又欲安所依信而立身乎?

【译文】

解释之二是:诽谤佛教因果报应之说的那些依据,就好像影之随形、响之应声;耳闻目睹的这类事情,已经很多了,这或许是由于诚心不深,业缘还未产生感应,使报应发生差误,没及时到来,但最终还是会有报应的。一个人的善或恶的行为,会招来他的祸或福的报应。中国的九流百家,都认同这种论点,为什么唯独认为佛经是虚妄的呢?项橐、颜回短命而死,伯夷、原宪受冻挨饿而死,盗跖、庄蹻享福长寿,齐景公、桓魋富足强大,对于这些现象,如果用他们前辈的善“业”或恶

“业”，把报应寄托在后辈子孙身上来解释，就全说得通了。如果因某人行善却偶遭祸患，某人行恶却意外得福，就产生怨尤，认为佛教的因果报应说是一种欺诈蒙骗，那么就好比指责尧、舜的事迹是假的，周公、孔子的话也不可信，那以后又凭什么信念去立身呢？

【原文】

释三曰：开辟已来，不善人多而善人少，何由悉责其精洁乎？见有名僧高行，弃而不说；若睹凡僧流俗，便生非毁。且学者之不勤，岂教者之为过？俗僧之学经律，何异士人之学《诗》《礼》？以《诗》《礼》之教，格朝廷之人，略无全行者；以经律之禁，格出家之辈，而独责无犯哉？且阙行之臣，犹求禄位；毁禁之侣，何惭供养乎？其于戒行，自当有犯。一披法服，已堕僧数，岁中所计，斋讲诵持，比诸白衣，犹不啻山海也。

【译文】

解释之三是：自开天辟地以来，不善良的人多而善良的人少，怎能要求每一位僧尼都清白高洁呢？见到名僧的崇高行为，抛弃一边不称扬；看到平庸僧侣的粗俗举止，就指责诋毁。况且，受学的人不勤勉，难道是教育者的过错吗？一般僧侣学习佛经、佛律，与世人学习《诗》《礼》有什么差异呢？用《诗》《礼》中的教义衡量满朝官员，大概没有完全合乎标准的；用佛经、佛律所设的条例衡量所有出家人，怎么能要求他们都不犯错误呢？而且，缺乏道德修养的官员，仍在追求着高官厚禄；违背禁条的僧侣，何必因接受供养而惭愧呢？他们对于戒律，可能有违犯的时候。只是他们一旦披上法衣，就进入了僧侣的行列，统计他们一年所为，都是吃斋念佛、念经布道，与那些俗世的人相比，他们之间道德修养的差距不比高山与深海的差距小。

【原文】

释四曰：内教多途，出家自是其一法耳。若能诚孝在心，仁惠为本，须达、流水，不必剃落须发；岂令罄井田而起塔庙，穷编户以为僧尼也？皆由为政不能节之，遂使非法之寺，妨民稼穑，无业之僧，空国赋算，非大觉之本旨也。抑又论之：求道者，身计也；惜费者，国谋也。身计国谋，不可两遂。诚臣徇主而弃亲，孝子安家而忘国，各有行也。儒有不屈王侯高尚其事，隐有让王辞相避世山林；安可计其赋役，以为罪人？若能偕化黔首，悉入道场，如妙乐之世，禳佉之国，则有自然稻米，无尽宝藏，安求田蚕之利乎？

【译文】

解释之四是：佛教徒修炼的途径很多，出家自然是其中一种途径。如果心存忠、孝，以仁、惠作为立身之本，像须达、流水这样的长者，也不必剃掉须发，难道要用尽全部田地去建塔立庙，让所有登记在册的人都去做僧尼吗？这都是因为执政者不能节制佛事，才使胡作非为的寺庙妨碍百姓的耕种，也使不事生计的僧尼耗费了国家的赋税，这并不是佛教救世的本旨。再说，追求道义，是个人的打算，珍惜费用，是国家的谋划。个人的打算与国家的谋划，不可能两全其美。忠臣以身殉主而舍弃了奉养双亲的责任，孝子为了家庭的安乐而忘却了报效国家的职责，因为各有各的准则。儒生中有不为王侯所屈、清高自诩的人，隐士中也有辞王让相、远避尘世、隐居山林的人；怎么能计算这些人应承担的赋税和徭役，把他们看成逃避赋役的罪人呢？如果能感化所有百姓，使他们都皈依佛教，像佛经中所描绘的妙乐国和禳佉国一样，那么就会有自然生长的稻米和无尽的宝藏，又何必去追求种田养蚕之利呢？

【原文】

释五曰：形体虽死，精神犹存。人生在世，望于后身似不相属；及其殁后，则与前身似犹老少朝夕耳。世有魂神，示现梦想，或降童妾，或感妻孥，求索饮食，征须福祐，亦为不少矣。今人贫贱疾苦，莫不怨尤前世不修功业；以此而论，安可不为之作地乎？夫有子孙，自是天地间一苍生耳，何预身事？而乃爱护，遗其基址，况于己之神爽，顿欲弃之哉？凡夫蒙蔽，不见未来，故言彼生与今非一体耳；若有天眼，鉴其念念随灭，生生不断，岂可不怖畏耶？又君子处世，贵能克己复礼，济时益物。治家者欲一家之庆，治国者欲一国之良，仆妾臣民，与身竟何亲也，而为勤苦修德乎？亦是尧、舜、周、孔虚失愉乐耳。一人修道，济度几许苍生？免脱几身罪累？幸熟思之！汝曹若顾俗计，树立门户，不弃妻子，未能出家；但当兼修戒行，留心诵读，以为来世津梁。人生难得，无虚过也。

【译文】

解释之五是：人的形体虽然死了，精神仍然存在。人生在世，看一看自己来世的“后身”，似乎与生前是毫无联系的；等到死后看来，就会发现与前身的关系，像老人与小孩、清晨与傍晚的关系一样。世上有死人的魂灵，向亲友托梦，或降梦给童仆侍妾，或感动妻子儿女，向他们索取食物，求取福佑，这样的事也不少了。今天有些人处于贫贱疾苦之中，没有不怨恨前世不修功业的；如此说来，怎能不为来世预留余地呢？人们有儿孙，都是世间的百姓，跟各自的身事有什么关系呢？人们爱护儿孙，把房产基业留给他们，何况对自己的灵魂，怎能轻易舍弃不顾呢？凡夫俗子冥顽不明，看不清未来的事，所以说来生和今生不是同一个人；如果人有一双透视今生来世的天眼，能看清生命在瞬间内的诞生与消亡，生生灭灭，不断轮回，难道不畏惧吗？再说，君子生活在这世界上，贵在能够克制自己，谨守礼节，匡时救世，有益社会。治家的人，希望自己的家庭幸福美满；治国的人，希望国家繁荣昌盛。这些仆人、侍妾、臣僚、民众，与自己有什么亲密的关系，值得为他们勤苦操持呢？这也不过是尧、舜、周公、孔子那样，为了别人的幸福而牺牲自己的欢乐。一个人修身求道，可以救度多少百姓呢？能使多少人免除罪累呢？希望你们仔细思考这一问题！你们如果顾及世俗的生计，要成家立业，不抛弃妻子、儿女，不能出家为僧，但应当同时修养品性，遵守戒律，留心诵读佛经，作为通往来世的桥梁。人的一生是很难再得的，不要虚度。

【原文】

儒家君子，尚离庖厨，见其生不忍其死，闻

其声不食其肉。高柴、折像，未知内教，皆能不杀，此乃仁者自然用心。含生之徒，莫不爱命；去杀之事，必勉行之。好杀之人，临死报验，子孙殃祸，其数甚多，不能悉录耳，且示数条于末。

【译文】

儒家的君子们，尚且远离厨房，因为他们见过禽兽活着的样子，就不忍见到它们死亡；听过禽兽鸣叫的声音，就不忍吃它们的肉。高柴和折像，不懂得佛教教义，都能不杀生，这是仁慈的人用心的自然表现。凡是有生命的生物，没有不爱惜生命的；不杀生这件事，你们必须勉力去做。好杀生的人，临到死时会有报应的，连子孙也会遭殃受祸。这样的事例很多，我不可能全部记录下来，姑且在本篇之末写几条给你们看。

【原文】

梁世有人，常以鸡卵白和沐，云使发光，每沐辄二三十枚。临死，发中但闻啾啾数千鸡雏声。

【译文】

梁代有个人，常常用鸡蛋白调和着洗头发，说这样可以使头发有光泽，每洗一次头发要用二三十个鸡蛋。他临死时，头发中只听得有几千只鸡雏啾啾的叫声。

【原文】

江陵刘氏，以卖鳝羹为业。后生一儿，头是鳝，自颈以下，方为人耳。

【译文】

江陵有个姓刘的，以出售鳝鱼羹为职业。后来生了个小孩，头是鳝鱼头，在颈部以下，才是人形。

【原文】

王克为永嘉郡守，有人饷羊，集宾欲醼。而羊绳解，来投一客，先跪两拜，便入衣中。此客竟不言之，固无救请。须臾，宰羊为羹，先行至客。一脔入口，便下皮内，周行遍体，痛楚号叫；方复说之。遂作羊鸣而死。

【译文】

王克担任永嘉太守的时候，有人送给他一只羊，他便邀集宾客准备开宴。解开羊绳时，羊突然来到一客人身边，先跪下拜了两拜，接着钻进了客人的衣服。这位客人竟然不做声，始终不为羊求情。不久，羊被杀了，并烧烤好了，先送到这位客人面前。他刚夹一小块入口，便像羊进入了皮内，在全身周转，他痛苦得又喊又叫，才说起之前那只羊向他求救的事。最后发出羊一般的叫声，就死了。

【原文】

梁孝元在江州时，有人为望蔡县令，经刘敬躬乱，县廨被焚，寄寺而住。民将牛酒作礼，县令以牛系刹柱，屏除形像，铺设床坐，于堂上接宾。未杀之顷，牛解，径来至阶而拜，县令大笑，命左右宰之。饮啖(dàn)醉饱，便卧檐下。稍醒而觉体痒，爬搔隐疹，因尔成癞，十许年死。

【译文】

梁元帝在江州的时候，有人担任望蔡县令，因刚经历刘敬躬的叛乱，县府的公房被烧，他寄住在寺庙里。百姓带着牛和酒作为礼物送给他，他把牛系在刹柱上，遮住了佛的塑像，他还铺设座位，于佛堂上接待宾客。在要杀未杀的一瞬间，牛挣脱了绳子，径直来到阶前下拜，这位县令见了大笑，叫手下的人把牛杀了。他吃完了牛肉，喝醉了酒，便睡在屋檐下。不久醒来以后，觉得身体发痒，便抓搔隐隐约约的小疙瘩，这些疙瘩渐渐变成了黄癣，过了十多年县令便死了。

【原文】

杨思达为西阳郡守，值侯景乱，时复旱俭，饥民盗田中麦。思达遣一部曲守视，所得盗者，辄截手腕，凡戮十余人。部曲后生一男，自然无手。

【译文】

杨思达担任西阳太守时，正值侯景之乱，当时又因旱灾歉收，饥民偷食田中的麦子。杨思达派遣一位部曲去看守，抓到偷麦子的人，就斩断他们的手腕，共砍了十多个人。这位部曲后来生了一个男孩，生下来就没有手。

【原文】

齐有一奉朝请，家甚豪侈，非手杀牛，啖之不美。年三十许，病笃，大见牛来，举体如被刀刺，叫呼而终。

【译文】

齐朝有一位奉朝请，家中非常富足奢华，不是自己亲手宰杀的牛，吃起来总觉得味道不够鲜美。此人三十多岁时，病得很重，见有一条牛向自己走来，全身好像都被刀刺伤了一样，叫喊着死了。

【原文】

江陵高伟，随吾入齐，凡数年，向幽州淀中捕鱼。后病，每见群鱼啮之而死。

【译文】

江陵地方的高伟，跟随我到了北齐，有好几年，他都到幽州的湖泊中去捕鱼。后来他病了，常常见到一群鱼咬自己，因此而死。

【原文】

世有痴人，不识仁义，不知富贵并由天命。为子娶妇，恨其生资不足，倚作舅姑之尊，蛇虺其性，毒口加诬，不识忌讳，骂辱妇之父母，却成教妇不孝己身，不顾他恨。但怜己之子女，不爱己之儿妇。如此之人，阴纪其过，鬼夺其算。慎不可与为邻，何况交结乎？避之哉！

【译文】

世上有一种痴人，不懂得仁义，不知道富与贵都是由天命决定的。替儿子娶媳妇，总恨媳妇的嫁妆不多，倚仗公公婆婆的尊严，怀着毒蛇般的心肠，恶毒地侮辱儿媳，不懂得忌讳，甚至谩骂侮辱媳妇的父母，这实际上是促成儿媳不孝敬自己，不考虑她会产生怨恨。他们只爱怜自己的子女，不爱护自己的儿媳。这样的人，阴曹会记录他的罪过，鬼神会减掉他的寿命。你们千万不可与这种人为邻居，更不能与他们交结为朋友！避开他们吧！

书证第十七

【原文】

《诗》云:"参差荇菜。"《尔雅》云:"荇,接余也。"字或为"莕"。先儒解释皆云:"水草,圆叶细茎,随水浅深。今是水悉有之,黄花似莼,江南俗亦呼为'猪莼',或呼为'荇菜'。"刘芳具有注释。而河北俗人多不识之,博士皆以参差者是苋菜,呼"人苋"为"人荇",亦可笑之甚。

【译文】

《诗经》上说:"参差荇菜。"《尔雅》说:"荇菜,就是接余。""荇"字有时写作"莕"。从前的儒士都解释说:"荇菜是一种水草,圆圆的叶子,细细的茎,随水的深浅而生长。现在,凡是有水的地方都有这种植物,黄色的花和莼菜花相似,江南民间也称为'猪莼',或叫作'荇菜'。"刘芳对这些都作了注释。但黄河以北的百姓大多不认识荇菜,连饱读诗书的博士官都把这种参差不齐的荇菜当成"苋菜",把"人苋"叫作"人荇",也实在太可笑了。

【原文】

《诗》云:"谁谓荼苦?"《尔雅》《毛诗传》并以荼,苦菜也。又《礼》云:"苦菜秀。"案:《易统通卦验玄图》曰:"苦菜生于寒秋,更冬历春,得夏乃成。"今中原苦菜则如此也。一名游冬,叶似苦苣而细，摘断有白汁，花黄似菊。江南别有苦菜，叶似酸浆，其花或紫或白，子大如珠，熟时或赤或黑，此菜可以释劳。案：郭璞注《尔雅》，此乃蘵(zhī)，黄蒢也。今河北谓之“龙葵”。梁世讲《礼》者，以此当苦菜；既无宿根，至春方生耳，亦大误也。又高诱注《吕氏春秋》曰：“荣而不实曰英。”苦菜当言英，益知非龙葵也。

【译文】

《诗经》中有：“谁说荼菜苦？”《尔雅》和《毛诗传》都认为“荼”是“苦菜”。而《礼记》说：“苦菜开花而不结实。”按：《易统通卦验玄图》说：“苦菜生长在寒冷的深秋，经过冬季和春季，到夏季才长大。”现在中原的苦菜就是这样。苦菜又名“游冬”，叶子像苦苣菜但略细一些，掐断后有白汁流出，花黄得像菊花一样。江南地区还有一种苦菜，叶子像酸浆草，花有的是紫色，有的是白色，果实像珠子一样大小，成熟后有的是红色，有的是黑色，吃了这种苦菜可解除疲劳。据考证：郭璞《尔雅》注说，这种苦菜是蘵草，即黄蒢。现在黄河以北的人称它为“龙葵”。梁朝有个讲解《礼记》的人，把它当作苦菜，认为它没有宿根，到春天才能生长，这是一个大失误。此外，高诱注的《吕氏春秋》中说：“开花而不结果的叫英。”由此，苦菜应当叫作“英”，更说明不是“龙葵”。

【原文】

《诗》云：“有杕(dì)之杜。”江南本并木傍施大。《传》曰：“杕，独貌也。”徐仙民音徒计反。《说文》曰：“杕，树貌也。”在“木”部。《韵集》音“次第”之“第”，而河北本皆为“夷狄”之“狄”，读亦如字，此大误也。

【译文】

《诗经》中说："有一株孤孤单单的棠梨树。"江南版本的"杕"字都是"木"字旁加一个"大"字。《毛诗传》解释说："杕，孤独的样子。"徐仙民注音"杕"为"徒计反"。《说文解字》说："杕，树木的样子。"收在"木"部。《韵集》注音它为"次第"的"第"，而黄河以北的版本都注为"夷狄"的"狄"，读音也与"狄"字相同，这是一个大失误。

【原文】

《诗》云："駉(jiōng)駉牡马。"江南书皆作"牝牡"之"牡"，河北本悉为"放牧"之"牧"。邺下博士见难云："《駉颂》既美僖公牧于坰野之事，何限騲(cǎo)骘乎？"余答曰："案：《毛传》云：'駉駉，良马腹干肥张也。'其下又云：'诸侯六闲四种：有良马，戎马，田马，驽马。'若作牧放之意，通于牝牡，则不容限在良马独得'駉駉'之称。良马，天子以驾玉辂，诸侯以充朝聘郊祀，必无騲也。《周礼·圉人职》：'良马，匹一人；驽马，丽一人。'圉人所养，亦非騲也；颂人举其强骏者言之，于义为得也。《易》曰：'良马逐逐。'《左传》云：'以其良马二。'亦精骏之称，非通语也。今以《诗传》良马，通于牧騲，恐失毛生之意，且不见刘芳《义证》乎？"

【译文】

《诗经》上有："肥肥的牡马。"江南版本《诗经》都作"牝牡"的"牡"

字，而黄河以北版本都是“放牧”的“牧”字。邺下有位博士责问我：“《駉颂》既然是赞颂鲁僖公在郊外放牧之事，为什么要局限公马、母马呢？”我回答说：“根据《毛诗传》的解释，‘駉駉，形容良马腹部和躯干肥壮的样子’。接下来又写道：‘诸侯有六个马厩，四种马：即良马、戎马、田马、驽马。’如果解释为‘放牧’的意思，公马或母马都说得通，也就不该局限于用‘駉駉’来形容了。良马，天子用它驾玉车，诸侯用来朝见天子和去郊外祭祀天地，一定不会有母马。《周礼·圉人职》说：‘良马，一人饲养一匹；驽马，一个人饲养两匹。’圉人所养的，也不是母马；诗人列举的是良马中的强俊者，这才能与文义相合。《易经》说：‘两匹良马奔逐。’《左传》说：‘用两匹良马。’这都是对精壮骏马的称呼，并不是通称所有的马。现在把《毛诗传》上的良马等同于牧马和母马，恐怕有违毛苌的本意，再说，难道没看见刘芳在《毛诗笺音义证》中对这一点的注释吗？”

【原文】

《月令》云：“荔挺出。”郑玄注云：“荔挺，马薤也。”《说文》云：“荔，似蒲而小，根可为刷。”《广雅》云：“马薤，荔也。”《通俗文》亦云马蔺。《易统通卦验玄图》云：“荔挺不出，则国多火灾。”蔡邕《月令章句》云：“荔似挺。”高诱注《吕氏春秋》云：“荔草挺出也。”然则《月令注》荔挺为草名，误矣。河北平泽率生之。江东颇有此物，人或种于阶庭，但呼为“旱蒲”，故不识马薤。讲《礼》者乃以为马苋；马苋堪食，亦名豚耳，俗名马齿。江陵尝有一僧，面形上广下狭；刘缓

幼子民誉，年始数岁，俊晤善体物，见此僧云："面似马苋。"其伯父绍因呼为"荔挺法师"。绍亲讲《礼》名儒，尚误如此。

【译文】

《月令》说："荔挺长出来了。"郑玄注解说："荔挺就是马薤。"《说文解字》说："荔，像蒲而略小，根可做刷子。"《广雅》说："马薤就是荔。"《通俗文》也称"荔"为"马蔺"。《易统通卦验玄图》中说："荔草长不出来，国家就会多火灾。"蔡邕的《月令章句》说："荔草的茎钻出地面。"高诱注《吕氏春秋》说："荔草的茎冒出来了。"那么说《月令注》把"荔挺"当成草的名字，是错的。河北地区的沼泽中到处生有荔草。江东也多有这种东西，有人将它种在庭院里，只是称它为"旱蒲"，所以不认识马薤。讲解《礼记》的人把荔称为"马苋"；马苋能够吃，也叫"豚耳"，俗名"马齿"。江陵曾有一位僧人，脸形上宽下窄。刘缓的小儿子刘民誉，刚刚几岁，却聪明过人，善于描摹事物，他看见了这位僧人，说："他的脸像马苋。"他的伯父刘绍因此称此僧为"荔挺法师"。刘绍是讲解《礼记》的著名儒者，尚且会出现这样的错误。

【原文】

《诗》云："将其来施施。"《毛传》云："施施，难进之意。"郑《笺》云："施施，舒行貌也。"《韩诗》亦重为"施施"，河北《毛诗》皆云"施施"。江南旧本，悉单为"施"，俗遂是之，恐为少误。

【译文】

《诗经》说："将其来施施。"《毛诗传》说："施施，难以行进的意思。"郑玄的《毛诗传笺》说："施施，缓缓行走的样子。"《韩诗外传》也重叠

“施”为“施施”，黄河以北的《毛诗》都写作“施施”。江南过去的旧版本，都单作一个“施”字，慢慢地大家就认同了它，恐怕这是个小错误。

【原文】

《诗》云：“有渰(yǎn)萋萋，兴云祁祁。”《毛传》云：“渰，阴云貌。萋萋，云行貌。祁祁，徐貌也。”《笺》云：“古者，阴阳和，风雨时，其来祁祁然，不暴疾也。”案：渰已是阴云，何劳复云“兴云祁祁”耶？“云”当为“雨”，俗写误耳。班固《灵台》诗云：“三光宣精，五行布序，习习祥风，祁祁甘雨。”此其证也。

【译文】

《诗经》中说：“有渰萋萋，兴云祁祁。”《毛诗传》说：“渰，阴云密布的样子。萋萋，云移动的样子。祁祁，舒缓的样子。”郑玄的《笺》说：“古时候，阴阳和谐，风雨及时，它们来时总是舒舒缓缓，不会突然猛烈。”据考证：“渰”已是阴云，为什么还要重复用“兴云祁祁”呢？可见“云”字当为“雨”字，流行的写法错了。班固的《灵台》一诗里说：“三光宣泄着光芒，五行安排着大自然的季节，习习的和祥风，祁祁的及时雨。”这就是“云”当为“雨”的证明。

【原文】

《礼》云：“定犹豫，决嫌疑。”《离骚》曰：“心犹豫而狐疑。”先儒未有释者。案：《尸子》曰：“五尺犬为犹。”《说文》云：“陇西谓犬子为犹。”吾以为人将犬行，犬好豫在人前，待人不得，又来迎候，如此往还，至于终日，斯乃“豫”之所以为未定也，故称“犹豫”。或以《尔雅》曰：“犹如麂，善登木。”犹，兽名也，既闻人声，乃豫缘木，如此上下，故称“犹豫”。狐之为兽，又多猜疑，故听河冰无流水声，然后敢渡。今俗云：“狐疑，虎卜。”则其义也。

【译文】

《礼记》中说：“定犹豫，决嫌疑。”《离骚》说：“心犹豫而狐疑。”前代儒生没有对这两句话进行过解释。据考证：《尸子》上说：“身长五尺的狗叫作犹。”《说文解字》中说：“陇西人称小狗为犹。”我认为人带着狗走，狗喜欢先跑到人的前面，等人不到，又来迎接等候，这样跑来跑去，直到一天结束，这就是“豫”字解释为左右不定的缘故，因此叫“犹豫”。有人根据《尔雅》说：“犹长得像麂，善攀爬树木。”犹是一种野兽的名字，听到人的声音后，就预先爬到树上，这样爬上爬下，所以称为“犹豫”。狐狸这种野兽，生性多疑，因此要听到河冰下面没有流水声，才敢过河。现在俗话说的“狐疑，虎卜”，就是这个含义。

【原文】

《左传》曰：“齐侯痎(jiē)，遂痁(shān)。”《说文》云：“痎，二日一发之疟。痁，有热疟也。”案：齐侯之病，本是间日一发，渐加重乎故，为诸侯忧也。今北方犹呼“痎疟”，音“皆”。而世间传本多以“痎”为“疥”，杜征南亦无解释，徐仙民音“介”，俗儒就为通云：“病疥，令人恶寒，变而成疟。”此臆说也。疥癣小疾，何足可论，宁有患疥转作疟乎？

【译文】

《左传》记有："齐侯疥，遂痁。"《说文解字》中说："痎，两天发作一次的疟疾。痁是常发热的疟疾。"据考证：齐景公的病，本是两天发作一次，后来逐渐加重，成了诸侯忧虑的事情。现在，北方人仍称为"痎疟"，"痎"音"皆"。可是世间的传本中，多把"痎"写成"疥"，杜预对此也未作过解释，徐仙民只说"痎"音"介"，浅陋迂腐的儒生就根据这一说法疏通说："患了疥疮，使人有怕寒的症状，转变成了疟疾。"这是想当然的瞎话。疥癣那样的小毛病，何足挂齿，难道患疥癣就会转化成疟疾吗？

【原文】

《尚书》曰："惟影响。"《周礼》云："土圭测影，影朝影夕。"《孟子》曰："图影失形。"《庄子》云："罔两问影。"如此等字，皆当为"光景"之"景"。凡阴景者，因光而生，故即谓为"景"。《淮南子》呼为"景柱"，《广雅》云："晷柱挂景。"并是也。至晋世葛洪《字苑》，傍始加"彡"，音于景反。而世间辄改治《尚书》《周礼》《庄》《孟》从葛洪字，甚为失矣。

【译文】

《尚书》中有："惟影响。"《周礼》中有："土圭测影，影朝影夕。"《孟子》说："图影失形。"《庄子》又说："罔两问影。"这些"影"字，都是"光景"之"景"。凡是阴景，都是因为有光而产生的，所以叫作"景"。《淮南子》称"景"为"景柱"，《广雅》说："晷柱挂景。"都是对的。直至晋朝葛洪在《字苑》中，才在"景"字旁加"彡"，且注音为"于景反"。而世间的一些人就把《尚书》《周礼》《庄子》《孟子》中的"景"字改从了葛洪写的“影”字。这是十分错误的。

【原文】

太公《六韬》，有天陈、地陈、人陈、云鸟之陈。《论语》曰：“卫灵公问陈于孔子。”《左传》：“为鱼丽之陈。”俗本多作“阜”傍“车乘”之“车”。案诸陈队，并作“陈、郑”之“陈”。夫行陈之义，取于陈列耳，此六书为假借也，《苍》《雅》及近世字书，皆无别字；唯王羲之《小学章》，独“阜”傍作“车”，纵复俗行，不宜追改《六韬》《论语》《左传》也。

【译文】

姜太公的《六韬》中，有天陈、地陈、人陈、云鸟之陈等。《论语》中说：“卫灵公向孔子询问行军布陈的事。”《左传》中说：“为鱼丽之陈。”俗本通常把“陈”字写成“阜”旁加上“车乘”的“车”。据考证，表示各种军队陈列队伍的“陈”，都写作“陈、郑”的“陈”字。行陈的含义，取义于陈列，将“陈”写作“阵”，这在六书中属于假借法，《苍颉篇》《尔雅》以及近代的字书，都没写成别的字；只有王羲之的《小学章》中，写为“阜”旁加“车”，即使今人从俗将“陈”字写作“阵”，也不应当回头把《六韬》《论语》《左传》等中的“陈”字都改为“阵”字。

【原文】

《诗》云：“黄鸟于飞，集于灌木。”《传》云：“灌木，丛木也。”此乃《尔雅》之文，故李巡注曰：“木丛生曰灌。”《尔雅》末章又云：“木族生为灌。”族亦丛聚也。所以江南《诗》古本皆为“丛

聚”之“丛”，而古“丛”字似“冣(zuì)”字，近世儒生，因改为“冣”，解云：“木之冣高长者。”案：众家《尔雅》及解《诗》无言此者，唯周续之《毛诗注》，音为徂会反，刘昌宗《诗注》，音为在公反，又祖会反：皆为穿凿，失《尔雅》训也。

【译文】

《诗经》中有：“黄鹂飞呀飞，聚集在灌木上。”《毛诗传》说：“灌木就是丛生的树木。”这正是《尔雅》的注释，因此李巡注释说：“树木丛生称为灌。”《尔雅》末章又说：“树木族生的称为灌。”“族”，就是丛、聚的意思。所以江南地区的《诗经》古本中都是“丛聚”的“丛”字，而古“丛”字像“冣”字，近代的儒生，因而将它改成了“冣”，解释说：“是树木中最高大的。”据考证：各家研究《尔雅》及解释《诗经》的都没有这样说的，只有周续之的《毛诗注》对这个字注音为“徂会反”，刘昌宗的《诗注》注音为“在公反”或“祖会反”：这都是牵强附会，违背了《尔雅》训诂的原意。

【原文】

“也”是语已及助句之辞，文籍备有之矣。河北经传，悉略此字，其间字有不可得无者，至如“伯也执殳”，“于旅也语”，“回也屡空”，“风，风也，教也”，及《诗传》云：“不戢，戢也；不傩，傩也。”“不多，多也。”如斯之类，傥削此文，颇成废阙。《诗》言：“青青子衿。”《传》曰：“青衿，青领也，学子之服。”按：古者，斜领下连于衿，故谓领为“衿”。孙炎、郭璞注《尔雅》，曹大家注《列女传》，并云：“衿，交领也。”邺下《诗》本，

既无“也”字，群儒因谬说云：“青衿、青领，是衣两处之名，皆以青为饰。”用释“青青”二字，其失大矣！又有俗学，闻经传中时须“也”字，辄以意加之，每不得所，益成可笑。

【译文】

“也”字是语尾词及语助词，文籍中常用到它。黄河以北版本的经、传，都省略了这个字，这中间有些“也”字是不能没有的，像“伯也执殳”，“于旅也语”，“回也屡空”，“风，风也，教也”，以及《诗传》中所说的：“不戢，戢也；不傩，傩也。”“不多，多也。”这一类的句子，如果去掉“也”字，就成了残缺的句子。《诗经》说：“青青子衿。”《毛传》说：“青衿，青色的领子，学生穿的衣服。”据考证：古时候，斜领向下与衣衿相连，所以称衣领为“衿”。孙炎、郭璞注的《尔雅》，曹大家注的《列女传》中，都说：“衿，交叠于胸前的衣领。”邺下版的《诗经》中，没有“也”字，儒生们因而荒谬地说：“青衿、青领，是衣服上两处地方的名称，都用青颜色作装饰。”用这个说法来解释“青青”二字，是特大的错误。还有一些知识浅薄的学子，听说经、传中常常用“也”字，动辄随意添加，常常用得不当，实在太可笑了。

【原文】

《易》有蜀才注，江南学士，遂不知是何人。王俭《四部目录》，不言姓名，题云："王弼后人。"谢炅、夏侯该，并读数千卷书，皆疑是谯周；而《李蜀书》一名《汉之书》，云："姓范名长生，自称蜀才。"南方以晋家渡江后，北间传记，皆名为伪书，不贵省读，故不见也。

【译文】

《易经》有蜀才作的注解，江南的学子，竟不知道蜀才是何许人。王俭的《四部目录》中，也没有谈到他的姓名，只写了"王弼后人"。谢炅、夏侯该读了几千卷书，都怀疑蜀才就是蜀国的谯周；而《李蜀书》又名《汉之书》中有："其人姓范，名长生，自称蜀才。"南方地区自从晋朝渡江之后，把北方地区的经传文章都称作"伪书"，人们没有认真阅读它们，所以没有看到这段记载。

【原文】

《礼·王制》云："裸股肱。"郑注云："谓捋衣出其臂胫。"今书皆作"擐甲"之"擐"，国子博士萧该云："'擐'当作'揎'，音'宣'，'擐'是穿著之名，非出臂之义。"案《字林》，萧读是。徐爰音"患"，非也。

【译文】

《礼记·王制》说："赤裸着股和肱。"郑玄说："说的是揎起衣服、露出臂和腿。"现在的书都把"揎"字写成"擐甲"的"擐"字。国子博士萧该认为："'擐'应当是'揎'字，音'宣'，'擐'是穿着的意思，没有露出手臂的含义。"查考《字林》，萧该的读音是正确的。徐爰把"擐"读为"患"，是不对的。

【原文】

《汉书》："田肎(kěn)贺上。"江南本皆作"宵"字。沛国刘显，博览经籍，偏精班《汉》，梁代谓之"《汉》圣"。显子臻，不坠家业。读班史，呼为"田肎"。梁元帝尝问之，答曰："此无义可求，但臣家旧本，以雌黄改'宵'为'肎'。"元帝无以难之。吾至江北，见本为"肎"。

【译文】

《汉书》中有："田肎贺上。"江南的版本把"肎"写作"宵"。沛国人刘显，博览群书，尤为精通班固的《汉书》，梁朝人称他为"《汉》圣"。刘显的儿子刘臻，不失家传儒业。他读班固的《汉书》时，读作"田肎"。梁元帝曾问他这样读的原因，他回答说："这没有什么含义可寻求，只是我家的旧本中，都用雌黄把'宵'字改成了'肎'字。"元帝也没法诘难他。我到江北后，看见那里的版本原来就写作"肎"字。

【原文】

《汉书·王莽赞》云："紫色蛙声，余分闰位。"盖谓非玄黄之色，不中律吕之音也。近有学士，名问甚高，遂云："王莽非直鸢髆虎视，而复紫色蛙声。"亦为误矣。

【译文】

《汉书·王莽赞》说："紫色蛙声，余分闰位。"大意是说：王莽的帝位，不是玄黄正色，不符合律吕正音。最近有位学士，名望很高，竟然说："王莽不但长着鹰的臂膀、虎的眼睛，而且还有紫色的皮肤、青蛙的嗓音。"这也是错误的。

【原文】

简"策"字，"竹"下施"朿"，末代隶书，似杞、宋之"宋"，亦有"竹"下遂为"夹"者，犹如"刺"字之傍应为"朿"，今亦作"夹"。徐仙民《春秋》《礼音》，遂以"筴"为正字，以"策"为音，殊为颠倒。《史记》又作"悉"字，误而为"述"；作"妬(dù)"字，误而为"姤(gòu)"。裴、徐、邹皆以"悉"字音"述"，以"妬"字音"姤"。既尔，则亦可以"亥"为"豕"字音，以"帝"为"虎"字音乎？

【译文】

简策的"策"字，是"竹"字下面放一个"朿"字，后代隶书中，写得像杞国、宋国的"宋"字，也有在"竹"字下加一个"夹"字的，就像"刺"字的偏旁应当是"朿"，现在也写作"夹"。徐仙民的《春秋左氏传音》《礼记音》中，竟以"筴"字为正字，以"策"作读音，这是完全颠倒了。《史记》在写"悉"字时，也误写为"述"字；写"妬"字时，误写为"姤"字。裴骃、徐广、邹诞生都以"悉"字给"述"字注音，以"妬"字给"姤"字注音。既然这样，那么也可以用"亥"字为"豕"字注音，以"帝"字为"虎"字注音吗？

【原文】

张揖云："虙(fú)，今伏羲氏也。"孟康《汉书·古文注》亦云："虙，今伏。"而皇甫谧云："伏羲或谓之宓羲。"按诸经史纬候，遂无"宓羲"之号。

"虙"字从"虍"，"宓"字从"宀"，下俱为"必"，末世传写，遂误以"虙"为"宓"，而《帝王世纪》因误更立名耳。何以验之？孔子弟子虙子贱为单父宰，即虙羲之后，俗字亦为"宓"，或复加"山"。今兖州永昌郡城，旧单父地也，东门有子贱碑，汉世所立，乃曰："济南伏生，即子贱之后。"是"虙"之与"伏"，古来通字，误以为"宓"，较可知矣。

【译文】

张揖说："虙，即现在所说的伏羲氏。"孟康《汉书·古文注》也说："虙，就是今天的伏。"而皇甫谧却说："伏羲，有人也称为宓羲。"拷证各种经、史、纬、候之书，没有"宓羲"这个称呼。"虙"字从"虍"，"宓"字从"宀"，下面都为"必"，后来的传抄，误把"虙"字写成"宓"，《帝王世纪》据此另立了一个"宓羲"的名称。怎样来验证呢？孔子的弟子虙子贱担任单父宰，他就是虙羲的后代，他的姓俗写作"宓"，有的在它下面再加个"山"。现在兖州的永昌郡城，就是昔日单父主管的故地，城东门有一块子贱碑，是汉代建立的，上面刻着："济南人伏生，是子贱的后人。"由此可知，"虙"与"伏"，自古以来就通用，后人误将"虙"写成"宓"的原因，大略可知了。

【原文】

《太史公记》曰："宁为鸡口，无为牛后。"此是删《战国策》耳。案：延笃《战国策音义》曰："尸，鸡中之王。从，牛子。"然则"口"当为"尸"，"后"当为"从"，俗写误也。

【译文】

《太史公记》中说:“宁为鸡口,无为牛后。”这是从《战国策》中摘取的。据考证:延笃《战国策音义》说:“尸,鸡群中的领头者。从,小牛犊。”由此可知,“口”字当是“尸”字,“后”应是“从”字,世间流行的写法是错误的。

【原文】

应劭《风俗通》云:“《太史公记》:‘高渐离变名易姓,为人庸保,匿作于宋子,久之作苦,闻其家堂上有客击筑,伎痒,不能无出言。’”案:伎痒者,怀其伎而腹痒也。是以潘岳《射雉赋》亦云:“徒心烦而伎痒。”今《史记》并作“徘徊”,或作“徬徨不能无出言”,是为俗传写误耳。

【译文】

应劭的《风俗通》说:“《太史公记》中有:‘高渐离改名换姓,给人做仆役,藏身在宋子县。时间久了,劳作辛苦,听到家中堂上有客人击筑而歌,他不禁技痒,情不自禁唱了起来。’”据考证:所谓“技痒”,就是怀有某种技艺,心里发痒想表现一下。因此,潘岳《射雉赋》中说:“只是心烦和技痒。”现在的《史记》都写成“徘徊”,或者写作“徬徨,不能无出言。”这是一般的流传本抄错了。

【原文】

太史公论英布曰:“祸之兴自爱姬,生于妒媚,以至灭国。”又《汉书·外戚传》亦云:“成结宠妾妒媚之诛。”此二“媚”并当作“媢(mào)”,媢亦妒也,义见《礼记》《三苍》。且《五宗世家》

亦云："常山宪王后妒媢。"王充《论衡》云："妒夫媢妇生，则忿怒斗讼。"益知"媢"是"妒"之别名。原英布之诛为意贲赫耳，不得言"媚"。

【译文】

太史公评论英布说："杀身之祸起自爱姬，源于妒媚，以致灭国。"另外《汉书·外戚传》也说："汉成帝的皇后因妒媚而遭杀身之祸。"这两处的"媚"都应当作"媢"，"媢"也是"嫉妒"的意思。这个解释可见于《礼记》《三苍》。并且《五宗世家》也说："常山宪王的王后妒媢。"王充的《论衡》说："妒夫媢妇出现，就会互相忿怒斗讼。"由此更可知道"媢"是"妒"的另一种说法。推究英布被杀的原因，是他怀疑贲赫与其妻有染，不能说是"媚"。

【原文】

《史记·始皇本纪》："二十八年，丞相隗林、丞相王绾等，议于海上。"诸本皆作"山林"之"林"。开皇二年五月，长安民掘得秦时铁称权，旁有铜涂镌铭二所。其一所曰："廿六年，皇帝尽并兼天下诸侯，黔首大安，立号为皇帝，乃诏丞相状、绾，法度量则不壹、歉疑者，皆明壹之。"凡四十字。其一所曰："元年，制诏丞相斯、去疾，法度量，尽始皇帝为之，皆□刻辞焉。今袭号而刻辞不称始皇帝，其于久远也，如后嗣为之者，不称成功盛德，刻此诏□左，使毋疑。"凡五十八字，一字磨灭，见有五十七字，了了分明。其书兼为古隶。余被敕写读之，与内史令李德林对，见此称权，今在官库；其“丞相状”字，乃为“状貌”之“状”，“爿”旁作“犬”；则知俗作“隗林”，非也，当为“隗状”耳。

【译文】

《史记·秦始皇本纪》说：“始皇二十八年，丞相隗林、丞相王绾等人，在东海之滨议事。”各种版本都写作“山林”的“林”。隋开皇二年五月，长安的百姓掘出一个秦时的铁秤锤，旁边有镀铜的雕刻铭文二处，其中一处刻着：“廿六年，秦始皇兼并了天下各诸侯国，百姓很安定，称号为皇帝，下诏任隗状、王绾为丞相，度量不规范统一而有疑问的，都明确和统一了。”总共四十个字。另一处刻有：“元年，制诏丞相斯、去疾，规范度量衡，这些全是始皇帝做的，都有刻辞。如今袭号而刻辞不称始皇帝，已经久远了，这是后代人干的，不称颂他的功绩和大德，刻此诏文于左边，使后人不怀疑。”总共五十八个字，有一个字已磨去看不见了，现有五十七个字，字字分明。它的字体都是古隶。我受皇帝诏命摹写、认读这些文字，与内史令李德林核对，见到了这两个秤锤，现在在官库里面；上面的“丞相状”，是“状貌”的“状”字，在“爿”字旁加“犬”字。由此可知，俗本写作“隗林”是错误的，应当是“隗状”。

【原文】

《汉书》云：“中外禔(zhī)福。”字当从示。禔，安也，音“匙匕”之“匙”，义见《苍》《雅》《方言》。河北学士皆云如此。而江南书本，多误从“手”，属文者对耦，并为“提挈”之意，恐为误也。

【译文】

《汉书》中说：“中外禔福。”“禔”字应当从“示”。“禔”，是“安”的意思，音“匙匕”的“匙”，它的含义可见于《三苍》《尔雅》《方言》。黄河以北的学士都认为如此。可江南通行的书本中，多误为从“手”，写文章的人写对偶句时，都把它理解为“提挈”的意思，恐怕是错误的。

【原文】

或问：“《汉书注》：‘为元后父名禁，故禁中为省中。’何故以‘省’代‘禁’？”答曰：“案：《周礼·宫正》：‘掌王宫之戒令纠禁。’郑注云：‘纠，犹割也，察也。’李登云：‘省，察也。’张揖云：‘省，今省詧(chá)也。’然则小井、所领二反，并得训‘察’。其处既常有禁卫省察，故以‘省’代‘禁’。詧，古察字也。”

【译文】

有人问：“《汉书注》说：‘因孝元皇后的父亲名禁，所以把禁中改为省中。’为什么要用‘省’代替‘禁’呢？”我回答说：“根据《周礼·宫正》所说：‘掌管王宫的戒令纠禁。’郑玄的注说：‘纠，是割或察的意思。’李登说：‘省，是察的意思。’张揖说：‘省，现在是省察的意思。’既然这样，那么音为小井反、所领反的‘省’字都可以解释为‘察’。禁中既经常有禁卫军省察，所以就用‘省’代替‘禁’。詧，是古代的‘察’字。”

【原文】

《汉·明帝纪》：“为四姓小侯立学。”案：桓帝加元服，又赐四姓及梁、邓小侯帛，是知皆外戚也。明帝时，外戚有樊氏、郭氏、阴氏、马氏为四姓。谓之小侯者，或以年小获封，故须立学耳。或以侍祠猥朝，侯非列侯，故曰小侯，《礼》云：“庶方小侯。”则其义也。

【译文】

《后汉书·明帝纪》中说：“替四姓小侯设立学校。”据考证：桓帝行冠礼时，又赐给四姓及梁、邓等小侯丝绸，由此可知他们都是外戚。明帝时，外戚有樊氏、郭氏、阴氏、马氏四姓。称他们为小侯，或者是因为他们年纪小而得到封爵，所以还须立学。也或者因为他们属侍祠侯、猥朝侯，这些侯爵并非列侯，所以称小侯。《礼记》说：“各地小侯。”就是这层意思。

【原文】

《后汉书》云：“鹳雀衔三鳝鱼。”多假借为“鳣鲔”之“鳣”；俗之学士，因谓之为“鳣鱼”。案：魏武《四时食制》：“鳣鱼大如五斗奁，长一丈。”郭璞注《尔雅》：“鳣长二三丈。”安有鹳雀能胜一者，况三乎？鳣又纯灰色，无文章也。鳝鱼长者不过三尺，大者不过三指，黄地黑文，故都讲云：“蛇鳝，卿大夫服之象也。”《续汉书》及《搜神记》亦说此事，皆作“鳝”字。孙卿云：“鱼鳖鳅鳣。”及《韩非》《说苑》皆曰：“鳣似蛇，蚕似蠋。”并作“鳣”字。假“鳣”为“鳝”，其来久矣。

【译文】

《后汉书》说：“鹳雀口衔三条鳝鱼。”这个“鳝”字大多假借为“鳣鲔”的“鳣”字；一般的学士，因此称它为“鳣鱼”。据考证：魏武帝《四时食制》说：“鳣鱼大如五斗奁，长有一丈。”郭璞《尔雅注》说：“鳣鱼长二三文。”哪里会有一只鹳雀能衔动一条鳣鱼的，更何况三条呢？且鳣鱼是纯灰色，没有花纹。鳝鱼长的不超过三尺，大的不超过三指，黄的底色，黑的斑纹，因此都说：“蛇鳝，是卿大夫衣服的象征。”《续汉书》和《搜神记》中也说到了这件事，都写作“鳝”字。荀子说：“鱼鳖鳅鳣。”以及《韩非子》《说苑》都说：“鳣鱼像蛇，蚕像蠋。”都写作“鳣”字。把“鳣”字假借为“鳝”字，由来已很久了。

【原文】

《后汉书》：“酷吏樊晔为天水郡守，凉州为之歌曰：‘宁见乳虎穴，不入冀府寺。’”而江南书本“穴”皆误作“六”。学士因循，迷而不寤。夫虎豹穴居，事之较者，所以班超云：“不探虎穴，安得虎子？”宁当论其六七耶？

【译文】

《后汉书》载：“酷吏樊晔任天水太守时，凉州的百姓为他编了歌谣说：‘宁见乳虎穴，不入冀府寺。’”可江南版本的书中，都把“穴”误成“六”。学士们沿袭这个错误，且一直迷误没有醒悟。虎豹都是穴居，这是明明白白的事，因此班超说：“不探虎穴，安得虎子？”难道他说的是六只虎或七只虎吗？

【原文】

《后汉书·杨由传》云：“风吹削肺。”此是削札牍之柿耳。古者，书误则削之，故《左传》云“削而投之”是也。或即谓“札”为“削”，王褒《童约》曰：“书削代牍。”苏竟书云：“昔以摩研编削之才。”皆其证也。《诗》云：“伐木浒浒。”毛《传》云：“浒浒，柹貌也。”史家假借为“肝肺”字，俗本因是悉作“脯腊”之“脯”，或为“反哺”之“哺”。学士因解云：“削哺，是屏障之名。”既无证据，亦为妄矣！此是风角占候耳。《风角书》曰：“庶人风者，拂地扬尘转削。”若是屏障，何由可转也？

【译文】

《后汉书·杨由传》说：“风吹削肺。”这个“肺”字是削札牍的“柿”字。古时候，写错了字就把它削掉，所以《左传》说“削去错字，把它丢了”，就是这个意思。有人把“札”称为“削”，王褒《童约》说：“书削代牍。”苏竟的信中说：“从前靠切磋编纂书籍的才能。”这都是“札”被称为“削”的例证。《诗经》中有“伐木浒浒”。毛《传》解释：“浒浒，砍削的样子。”史官假借它为“肝肺”的“肺”字，世上流行的本子因此全都写作“脯腊”的“脯”字，或写成“反哺”的“哺”字。学士因而解释说：“削哺，是屏障的名字。”这种解说既无证据，也太荒谬了！“风吹削哺”讲的是风角占候的办法。《风角书》说：“普通人的风，能够掠过地面，扬起灰尘，使木屑转动。”如果“削哺”是“屏障”，怎么能转动呢？

【原文】

《三辅决录》云：“前队大夫范仲公，盐豉蒜果共一筒。”“果”当作“魏颗”之“颗”。北土通呼物一块，改为一颗，“蒜颗”是俗间常语耳。故陈思王《鹞雀赋》曰：“头如果蒜，目似擘椒。”又《道经》云：“合口诵经声璅(suǒ)璅，眼中泪出珠子碟(kē)。”其字虽异，其音与义颇同。江南但呼为“蒜符”，不知谓为“颗”。学士相承，读为“裹结”之“裹”，言盐与蒜共一苞裹，内筒中耳。《正史削繁音义》又音“蒜颗”为苦戈反，皆失也。

【译文】

《三辅决录》上说：“前队大夫范仲公，把盐、豉、蒜果放在一个竹筒中。”“果”字当是“魏颗”的“颗”。北方人通常称一块物体为一颗，“蒜颗”就是民间的习惯用语。所以陈思王《鹞雀赋》说：“头像一颗蒜头，眼像剖开的椒。”又有《道经》说：“合口诵经声璅璅，眼中泪出珠子碟。”这个“碟”字虽然写法不同，但发音与意义是相同的。江南人只称“蒜符”，不知道叫“蒜颗”。学士们相互传承，读成了“裹结”的“裹”，说范仲公把盐和蒜置于同一个包裹里，放进竹筒中。《正史削繁音义》又给“蒜颗”的“颗”注音为“苦戈反”，这都是错误的。

【原文】

有人访吾曰：“《魏志》蒋济上书云‘弊攰(guì)之民’，是何字也？”余应之曰：“意为‘攰’即是‘䚕(guì)倦’之‘䚕’耳。张揖、吕忱并云：‘支傍作刀剑之刀，亦是剞字。’不知蒋氏自造‘支’傍作‘筋力’之‘力’，或借‘剞’字，终当音九伪反。”

【译文】

有人向我询问：“《魏志》蒋济上疏说‘弊攰之民’，这个‘攰’是什么字呀？”我回答说：“我想‘攰’就是‘䚕倦’的‘䚕’。张揖、吕忱都说：‘支旁加个“刀剑”的“刀”，也就是“剞”字。’不知道蒋济是自己造了这个‘支’旁加‘筋力’的‘力’组成的‘攰’字，还是假借了‘剞’字，但这个字终究都应当读成‘九伪反’。”

【原文】

《晋中兴书》:“太山羊曼,常颓纵任侠,饮酒诞节,兖州号为‘䵘(tà)伯’。”此字皆无音训。梁孝元帝常谓吾曰:“由来不识。唯张简宪见教,呼为‘嚃(tà)羹’之‘嚃’。自尔便遵承之,亦不知所出。”简宪是湘州刺史张缵谥也,江南号为硕学。案:法盛世代殊近,当是耆老相传;俗间又有“䵘䵘”语,盖无所不施,无所不容之意也。顾野王《玉篇》误为“黑”傍“沓”。顾虽博物,犹出简宪、孝元之下,而二人皆云重边。吾所见数本,并无作“黑”者。“重沓”是多饶积厚之意,从“黑”更无义旨。

【译文】

《晋中兴书》记载:“泰山人羊曼,常常疏慢放纵、仗义行侠,饮酒没有节制,兖州人称他为‘䵘伯’。”这个“䵘”字,各种书中都无音训。梁孝元帝曾对我说:“我从来不认识这个字。只有张简宪教过我,把它称为‘嚃羹’的‘嚃’。从那时起,我就遵从这个发音,也不知道它的出处。”简宪是湘州刺史张缵的谥号,江南人都称他为饱学之士。据考证:何法盛生活的年代离我们较近,“䵘”字应当是老人们传下来的;世间还有“䵘䵘”一词,大概是无所不施、无所不容的意思。顾野王所著的《玉篇》把“䵘”误写成“黑”旁加“沓”。顾野王虽博学多识,但还是在张缵和孝元帝之下,张、孝二人都说是“重”字边。我看过的几个本子,都没有写成

“黑”旁的。“重沓”是多饶积厚的意思，从“黑”旁，就不知道是什么含义了。

【原文】

《古乐府》歌词，先述三子，次及三妇，妇是对舅姑之称。其末章云：“丈人且安坐，调弦未遽央。”古者，子妇供事舅姑，旦夕在侧，与儿女无异，故有此言。“丈人”亦长老之目，今世俗犹呼其祖考为“先亡丈人”。又疑“丈”当作“大”，北间风俗，妇呼舅为“大人公”。“丈”之与“大”，易为误耳。近代文士，颇作《三妇诗》，乃为匹嫡并耦己之群妻之意，又加郑、卫之辞，大雅君子，何其谬乎？

【译文】

《古乐府》的歌词，先讲述三子，再提及三妇，“妇”是相对公婆的称呼。歌词的最后一章说：“丈人且安坐，调弦未遽央。”古时候，儿媳妇供养侍奉公婆，早晚都在身旁，与儿女没有什么不同，所以歌中有这些话。“丈人”也是对长辈老人的称呼，现在习惯上仍称呼已故的祖父、父亲为“先亡丈人”。我又怀疑“丈”应当作“大”，北方人的风俗，媳妇称呼公公为“大人公”。“丈”与“大”，是容易写错的。近代文人，很多人写过《三妇诗》，描写自己与妻妾们成双成对的事，又加入些淫邪的言辞，这帮文人雅士，怎么会这样荒谬呢？

【原文】

《古乐府》歌百里奚词曰：“百里奚，五羊皮。忆别时，烹伏雌，吹扊(yǎn)扅(yí)；今日富贵忘我为！”“吹”当作“炊煮”之“炊”。案：蔡邕《月令章句》曰：“键，关牡也，所以止扉，或谓之剡移。”然则当时贫困，并以门牡木作薪炊耳。《声类》作“扊”，又或作“扂(diàn)”。

【译文】

《古乐府》歌唱百里奚的歌词说：“百里奚，五羊皮。忆别时，烹伏雌，吹扊扅；今日富贵忘我为！”其中“吹”应当写作“炊煮”的“炊”字。据考证：蔡邕《月令章句》说：“键，就是门闩，是用来关门的，也有人称它为剡移。”这样看来，百里奚当时家中贫穷，把门闩当成烧柴用了。《声类》中把它写成“扊”，又有些书写作“扂”。

【原文】

《通俗文》，世间题云“河南服虔字子慎造”。虔既是汉人，其叙乃引苏林、张揖；苏、张皆是魏人。且郑玄以前，全不解反语，《通俗》反音，甚会近俗。阮孝绪又云“李虔所造”。河北此书，家藏一本，遂无作李虔者。《晋中经簿》及《七志》，并无其目，竟不得知谁制。然其文义允惬，实是高才。殷仲堪《常用字训》，亦引服虔《俗说》，今复无此书，未知即是《通俗文》，为当有异？或更有服虔乎？不能明也。

【译文】

《通俗文》一书，世间版本都题为“河南服虔字子慎造”。服虔既然是汉人，《通俗文》的《叙》却引用了苏林和张揖的话；苏、张都是三国时魏人。而且在郑玄之前，人们都不知道反切，《通俗文》的反切注音，很合于近代人的习尚。阮孝绪又说“是李虔撰写的”。这本书在黄河以北，每家都收藏一本，就没有题为李虔的。《晋中经簿》和《七志》，都没有它的条目，终究不知道这书是谁写的。但它的文辞精当妥帖，作者确实是位高才。殷仲堪的《常用字训》，也引用过服虔的《俗说》，现在已没有这本书了，不知它就是《通俗文》，还是另一本书？或是另有一位服虔？这就弄不明白了。

【原文】

或问：“《山海经》，夏禹及益所记，而有长沙、零陵、桂阳、诸暨，如此郡县不少，以为何也？”答曰：“史之阙文，为日久矣；加复秦人灭学，董卓焚书，典籍错乱，非止于此。譬犹《本草》神农所述，而有豫章、朱崖、赵国、常山、奉高、真定、临淄、冯翊等郡县名，出诸药物；《尔雅》周公所作，而云‘张仲孝友’；仲尼修《春秋》，而《经》书孔丘卒；《世本》左丘明所书，而有燕王喜、汉高祖；《汲冢琐语》乃载《秦望碑》；《苍颉篇》李斯所造，而云‘汉兼天下，海内并厕，豨(xī)黥韩覆，畔讨灭残’；《列仙传》刘向所造，而《赞》云‘七十四人出佛经’；《列女传》亦向所造，其子歆又作《颂》，终于赵悼后，而传有更始韩夫人、明德马后及梁夫人嫕(yì)：皆由后人所羼(chàn)，非本文也。”

【译文】

有人问：“《山海经》是夏禹和伯益记述的，但里面有长沙、零陵、桂阳、诸暨这一类秦汉时的郡县地名不少，你认为这是为什么？”我回答说：“史书中的缺漏，由来已久了；加上秦始皇毁灭学术，董卓焚毁书籍，各种典籍发生了错乱，问题还不止这些。例如《本草经》是神农记述的，其中却有豫章、朱崖、赵国、常山、奉高、真定、临淄、冯翊等汉代的郡县地名和出产的各种药物；《尔雅》是周公撰写的，里面却说'张仲孝友'；孔子修订《春秋》，而《春秋》里却提到孔子去世；《世本》是左丘明撰写的，里面却有燕王喜、汉高祖的名字；《汲冢琐语》是战国时的书籍，里面却载有《秦望碑》；《苍颉篇》是李斯撰写的，里面却载有'汉朝兼并天下，海内诸侯竞相参与，陈豨被黜，韩信败灭，叛臣被讨伐，残贼被诛杀'等话；《列仙传》是刘向撰写的，书中的《赞》却说有'七十四人出自佛经'；《列女传》也是刘向撰写的，他的儿子刘歆又写了《列女传颂》，记事截止到赵悼后，而传中却有更始韩夫人、明德马后和梁夫人嫕：这些都是后人掺杂进去的，不是原来的文字。"

【原文】

或问曰："《东宫旧事》何以呼'鸱尾'为'祠尾'？"答曰："张敞者，吴人，不甚稽古，随宜记注，逐乡俗讹谬，造作书字耳。吴人呼'祠祀'为'鸱祀'，故以'祠'代'鸱'字；呼'绀'为'禁'，故以'系'傍作'禁'代'绀'字；呼'盏'为竹简反，故以'木'傍作'展'代'盏'字；呼'镬'字为'霍'字，故以'金傍'作'霍'代'镬'字；又'金'傍作'患'为'镮(huán)'字，'木'傍作'鬼'为'魁'字，'火'傍作'庶'为'炙'字，'既'下作'毛'为'髻'字；金花则'金'傍作'华'，窗扇则'木'傍作'扇'：诸如此类，专辄不少。

【译文】

有人问："《东宫旧事》为什么把'鸱尾'称作'祠尾'？"我回答说：

“因为作者张敞是吴郡人，不大考查古代的事情，随意记述注解，顺从了民间的谬误，写出了这类文词。吴人称‘祠祀’为‘鸱祀’，所以用‘祠’字代‘鸱’字；呼‘绀’为‘禁’，所以用‘系’旁加‘禁’代替‘绀’字；音‘盏’为‘竹简反’，所以把木旁加‘展’代替‘盏’字；他们呼‘镬’为‘霍’，所以把‘金’旁加‘霍’代替‘镬’字；又用‘金’旁加‘患’代替‘镮’字，‘木’旁加‘鬼’代替‘魁’字，‘火’旁加‘庶’代替‘炙’字，‘既’下加‘毛’代替‘髻’字；‘金花’就用‘金’旁加‘华’表示，‘窗扇’就用木旁加‘扇’表示：诸如此类，杜撰的字还不少。

【原文】

又问：“《东宫旧事》‘六色罽(jì)绲’，是何等物？当作何音？”答曰：“案：《说文》云：‘莙(jūn)，牛藻也，读若‘威’。’《音隐》：‘坞瑰反。’即陆机所谓‘聚藻，叶如蓬’者也。又郭璞注《三苍》亦云：‘蕴，藻之类也，细叶蓬茸生。’然今水中有此物，一节长数寸，细茸如丝，圆绕可爱，长者二三十节，犹呼为‘莙’。又寸断五色丝，横著线股间绳之，以象莙草，用以饰物，即名为‘莙’；于时当绀六色罽，作此莙以饰绲带，张敞因造‘糸’旁‘畏’耳，宜作‘隈’。”

【译文】

又有人问：“《东宫旧事》里说的‘六色罽绲’，是什么东西？应该读什么音？”我回答说：“按：《说文解字》说：‘莙就是牛藻，读作‘威’的音。’《音隐》中注的音是：‘坞瑰反’。就是陆机所说的‘聚藻的叶子像蓬草’的那种水藻。另外，郭璞注《三苍》也说：‘蕴，水藻一类的东西，叶子长得蓬松柔密。'现在水泽中有这种东西,每节有几寸长,纤细柔密如丝,缠绕成圆形,很是可爱,最长的有二三十节,仍称为'著'。另外,把五色丝线剪成一寸长,横放在几股线中间用绳子系住,做成著草的样子,用来装饰物品,这种饰品就称为'著';当时应当用六色丝线扎成类似著草形状的装饰品,用来装饰绲带,张敞因此造了个'系'旁加'畏'的字,应当读作'隈'。"

【原文】

柏人城东北有一孤山,古书无载者。唯阚骃《十三州志》以为舜纳于大麓,即谓此山,其上今犹有尧祠焉;世俗或呼为"宣务山",或呼为"虚无山",莫知所出。赵郡士族有李穆叔、季节兄弟、李普济,亦为学问,并不能定乡邑此山。余尝为赵州佐,共太原王邵读柏人城西门内碑。碑是汉桓帝时柏人县民为县令徐整所立,铭曰:"山有巏嵍,王乔所仙。"方知此"巏嵍"山也。"巏"字遂无所出。"嵍"字依诸字书,即"旄丘"之"旄"也;"旄"字,《字林》一音亡付反,今依附俗名,当音"权务"耳。入邺,为魏收说之,收大嘉叹。值其为《赵州庄严寺碑铭》,因云"权务之精。"即用此也。

【译文】

柏人城东北有一座孤山,古书上没有关于此山的记载。只有阚骃的《十三州志》中认为舜进入大山林,就是说的这座山,山上至今还有尧的祠堂;世人通常叫它"宣务山",或称"虚无山",但无人知道这种称呼的来历。赵郡士族中有李穆叔、李季节兄弟和李普济,也是有学问的人，但都不确定家乡这座山的名称。我曾任赵州佐，和太原人王邵一起读过柏人城西门内的碑刻。碑是汉桓帝时柏人县民众给县令徐整竖立的，上面铭文说："有座巏嵍山，是王乔成仙的地方。"我才知道"巏嵍"就是这座山。"巏"字找不到出处。"嵍"字根据各种字书，就是"旄丘"的"旄"字；"旄"字，《字林》音为"亡付反"。现在根据通俗的称呼，"巏嵍"应读为"权务"。到邺城后，我曾对魏收说了这件事，魏收很赞许。正巧他在写《赵州庄严寺碑铭》，因此写了"权务之精"的句子，用的就是我所说的这个典故。

【原文】

或问："一夜何故五更？更何所训？"答曰："汉、魏以来，谓为甲夜、乙夜、丙夜、丁夜、戊夜，又云'鼓'，一鼓、二鼓、三鼓、四鼓、五鼓，亦云一更、二更、三更、四更、五更，皆以'五'为节。《西都赋》亦云：'卫以严更之署。'所以尔者，假令正月建寅，斗柄夕则指寅，晓则指午矣；自寅至午，凡历五辰。冬夏之月，虽复长短参差，然辰间辽阔，盈不过六，缩不至四，进退常在五者之间。更，历也，经也，故曰五更尔。"

【译文】

有人问："一夜为什么分为五更？'更'字作何解释？"我回答说："汉、魏以来，一夜分为甲夜、乙夜、丙夜、丁夜和戊夜，也称为'鼓'，即一鼓、二鼓、三鼓、四鼓和五鼓，还叫作一更、二更、三更、四更和五更，都是用'五'来划分时间的。《西都赋》也说：'以严密监督更鼓的郎署，保卫皇宫。'之所以这样，是因为把正月假定为建寅月，北斗星的斗柄日落时就指向寅时，黎明时就指向午时了；从寅时到午时，共经过五个时辰。冬、夏的月份虽然白天与黑夜的时间长短不等，但是对于时辰间的差距，长不会超过六个时辰，短不会少于四个时辰，上下通常在五个时辰之间。更，就是经历、经过的意思，所以称为五更。”

【原文】

《尔雅》云："术，山蓟也。"郭璞注云："今术似蓟而生山中。"案：术叶其体似蓟，近世文士，遂读"蓟"为"筋肉"之"筋"，以耦"地骨"用之，恐失其义。

【译文】

《尔雅》说："术，就是山蓟。"郭璞的注说："如今，术像蓟，长在山里。"据考证：术的叶子形状像蓟，近代的文人，就把"蓟"读作"筋肉"的"筋"，并且拿"山蓟"与"地骨"作为对偶来使用，恐怕失去它的本义了。

【原文】

或问："俗名'傀儡子'为'郭秃'，有故实乎？"答曰："《风俗通》云：'诸郭皆讳秃。'当是前代人有姓郭而病秃者，滑稽戏调，故后人为其象，呼为'郭秃'，犹《文康》象庾亮耳。"

【译文】

有人问："俗称'傀儡戏'为'郭秃'，有什么典故吗？"我回答说："《风俗通》说：'姓郭的人都忌讳秃字。'这可能是前代姓郭的有人得了秃头病，又喜欢滑稽调笑，所以后人仿制了他的形象作傀儡，称之为'郭秃'，就像《文康》乐舞中有庾亮的像一样。"

【原文】

或问曰："何故名'治狱参军'为'长流'乎？"答曰："《帝王世纪》云：'帝少昊崩，其神降于长流之山，于祀主秋。'案：《周礼·秋官》，司寇主刑罚、长流之职，汉、魏捕贼掾耳。晋、宋以来，始为参军，上属司寇，故取秋帝所居为嘉名焉。"

【译文】

有人问："为什么称'治狱参军'叫'长流'呢？"我回答说："《帝王世纪》说：'少昊帝驾崩以后，他的神灵降临在长流山上，在这里主持秋祭'。据考证，《周礼·秋官》中记载：司寇主管刑罚、长流的职务，就是汉、魏时期的捕贼掾。晋、宋以来，才开始称为参军，上属司寇管辖，所以取秋帝少昊住的地方作为美名。"

【原文】

客有难主人曰："今之经典，子皆谓非，《说文》所言，子皆云是，然则许慎胜孔子乎？"主人拊掌大笑，应之曰："今之经典，皆孔子手迹耶？"客曰："今之《说文》，皆许慎手迹乎？"答曰："许慎检以六文，贯以部分，使不得误，误则觉之。孔子存其义而不论其文也。先儒尚得改文从意，何况书写流传耶？必如《左传》'止戈'为'武'，'反正'为'乏'，'皿虫'为'蛊'，'亥'有'二首六身'之类，后人自不得辄改也，安敢以《说文》校其是非哉？且余亦不专以《说文》为是也，其有援引经传，与今乖者，未之敢从。又相如《封禅书》曰：‘导一茎六穗于庖，牺双觡(gé)共抵之兽。’此‘导’训‘择’，光武诏云：‘非徒有豫养导择之劳’是也。而《说文》云：‘导是禾名。’引《封禅书》为证；无妨自当有禾名䆃，非相如所用也。‘禾一茎六穗于庖’，岂成文乎？纵使相如天才鄙拙，强为此语；则下句当云‘麟双觡共抵之兽’，不得云‘牺’也。吾尝笑许纯儒，不达文章之体，如此之流，不足凭信。大抵服其为书，隐括有条例，剖析穷根源，郑玄注书，往往引以为证；若不信其说，则冥冥不知一点一画，有何意焉？”

【译文】

有客人责问我说：“现在的经典，你都说不正确，《说文解字》所讲的，你都说对，这么说来，难道许慎还胜过孔子吗？”我拍手大笑，回答说：“今天的经典，都是孔子的亲笔手迹吗？”客人说：“今天的《说文解字》，都是许慎的亲笔手迹吗？”我回答道：“许慎用六书来检验文字，用部首贯串全书，使全书不致出现错误，有错误就能发现。孔子保存文句的含义而不讨论文字本身。前辈儒者尚能改动经典的文字以顺应全文的意义，更何况经过书写流传呢？必须像《左传》所说的‘止戈’为‘武’，‘反正’为‘乏’，‘皿虫’为‘蛊’，‘亥’有‘二首六身’这类情况，后人自然不能随便改动，哪能用《说文解字》来校订它们的是非呢？况且我也不认为《说文解字》是完全正确的，其中有援引经传的文句，而与今天的经意不相合的，我就不敢盲从。又如司马相如《封禅书》说：‘导一茎六穗于庖，牺双觡共抵之兽。’这个‘导’字解释为‘择’。汉光武帝的诏书说：‘非徒有豫养导择之劳。’其中的‘导’字，就是这个含义。而《说文解字》说：‘导是禾名。’并引《封禅书》为证。我们不妨说本来就有一种作物叫'蕖'，不是司马相如在《封禅书》中所使用的。否则，'禾一茎六穗于庖'，怎能成句呢？即使司马相如的天资低劣，勉强写下这样的话，那么下一句也应当说'麟双觡共抵之兽'，而不能说'牺'。我曾经嘲笑许慎是个纯粹儒者，不通达文章的体制，像这一类文字，就不足凭信了。但总地说来，我佩服许慎的这本书，对文字的审定与组织有条例，剖析文义也能穷尽根源，郑玄注解经书，往往引用《说文解字》作证；如果我们不相信《说文解字》的解释，就会稀里糊涂不懂得字的形体结构，这样即使饱读经书典籍又有什么意义呢？"

【原文】

世间小学者，不通古今，必依小篆，是正书记；凡《尔雅》《三苍》《说文》，岂能悉得苍颉本指哉？亦是随代损益，互有同异。西晋已往字书，何可全非？但令体例成就，不为专辄耳。考校是非，特须消息。至如"仲尼居"，三字之中，两字非体，《三苍》"尼"旁益"丘"，《说文》"尸"下施"几"：如此之类，何由可从？古无二字，又多假借，以"中"为"仲"，以"说"为"悦"，以"召"为"邵"，以"□"为"闲"：如此之徒，亦不劳改。自有讹谬，过成鄙俗，"乱"旁为"舌"，"揖"下无"耳"，"鼋"、"鼍"从"龟"，"奮"、"奪"从"雚"，"席"中加"带"，"恶"上安"西"，"鼓"外设"皮"，"鑿"头生"毁"，"离"则配"禹"，"壑"乃施"豁"，"巫"混"經"旁，"皋"分"澤"片，"猎"化为"獦"，"宠"变成"寵"，"业"左益"片"，"靈"底著"器"；

"率"字自有"律"音,强改为别;"单"字自有"善"音,辄析成异:如此之类,不可不治。吾昔初看《说文》,蚩薄世字,从正则惧人不识,随俗则意嫌其非,略是不得下笔也。所见渐广,更知通变,救前之执,将欲半焉。若文章著述,犹择微相影响者行之,官曹文书,世间尺牍,幸不违俗也。

【译文】

世上研究文字学的人,不懂得古今的变化,写字一定要依据小篆,并根据它来订正书籍。所有《尔雅》《三苍》《说文解字》上的文字,哪能全部找到苍颉造字时的最初字形呢?文字也是依随年代变化而增减变化,前后有同有异。西晋以来的字书,哪能全部否定呢?只要它能使体例完备,不任意专断就行了。考校文字的是非,特别需要斟酌。至于像"仲尼居",三个字中有两个不合正体,《三苍》中的"尼"字在"尼"旁边加了"丘",《说文解字》中的"居"字在"尸"下面放了"几":像这类例子,哪能依从呢?古代一个字没有两种形体,又多假借字,以"中"为"仲",以"说"为"悦",以"召"为"邵",以"间"为"闲":这类情况,也用不着劳神去改动。有的文字本身就有错讹,这类错字恰恰形成了一种鄙陋的习俗,如"乱"旁边是"舌","揖"字下面无"耳","鼋"、"鼍"的下部从"龟","奮"、"奪"的下面是"藋","席"字中间加"带","恶"字上面放"西","鼓"字的右面加"皮","鑿"字头上多出个"毀","离"字左面配上"禹","壑"字上面加"豁","巫"与"經"的"巠"傍相混淆,"皋"字分"澤"的半边成了"睪","猎"字变成了"獦","宠"字变成了"寵","业"字左面加上"片","靈"的下面写成"器";"率"字本来就有"律"这个音,却强行改换成别的字;"单"字本来就有"善"这个音,却分写成两个不同的字:像这类情况,不可不加以改正。我从前看《说文解字》时,看不起俗字,想依从正体又怕别人不认识，想依通俗的写法又嫌它不正确，这样就完全不能下笔为文了。随着见闻逐渐增广，我进一步懂得了通变的道理，要补救从前的偏执态度，就得把从正和随俗二者结合起来。至于写文章做学问，仍然要选择与《说文解字》字体略微相近的来使用，官府的文书，或社会上的信函，尽量不违背世俗习惯。

【原文】

案：弥亙字从“二”间“舟”，《诗》云“亙之秬(jù)秠(pī)”是也。今之隶书，转“舟”为“日”；而何法盛《中兴书》乃以“舟”在“二”间为舟“航”字，谬也。《春秋说》以“人十四心”为“德”，《诗说》以“二在天下”为“酉”，《汉书》以“货泉”为“白水真人”，《新论》以“金昆”为“银”，《国志》以“天上有口”为“吴”，《晋书》以“黄头小人”为“恭”，《宋书》以“召刀”为“邵”，《参同契》以“人负告”为“造”：如此之例，盖数术谬语，假借依附，杂以戏笑耳。如犹转“贡”字为“项”，以“叱”为“七”，安可用此定文字音读乎？潘、陆诸子《离合诗》《赋》《栻卜》《破字经》，及鲍昭《谜字》，皆取会流俗，不足以形声论之也。

【译文】

据考证：“弥亙”的“亙”字是“二”字中间加“舟”，《诗经》说的“亙之秬秠”就是这个“亙”字。现在的隶书，改“舟”为“日”，而何法盛的《中兴书》以“舟”在“二”间为“舟航”的“航”字，这是错的。《春秋说》以“人、十、四、心”组成“德”字，《诗说》以“二”在“天”的下面为“酉”字，《汉书》

以“贷泉”二字拆开作“白、水、真、人”四字，《新论》以“金昆”为“银”字，《三国志》以“天”上面加“口”为“吴”字，《晋书》以“黄”字头加“小、人”为“恭”字，《宋书》以“召、刀”合成“劭”字，《参同契》以“人、负、告”合为“造”字：这一类例子，都是玩弄术数的荒谬言词，不过是假托附会，加上游戏玩笑罢了。比如，把“贡”字转变成“项”字，把“叱”当成“七”字，怎能用这种方法确定文字的读音呢？潘岳、陆机等人的《离合诗》《赋》《栻卜》《破字经》，以及鲍照的《谜字》，都迎合了流行的习俗，不能用形声的方法去研讨它们。

【原文】

河间邢芳语吾云：“《贾谊传》云：‘日中必熭(huì)。’注：‘熭，暴也。’曾见人解云：‘此是暴疾之意，正言日中不须臾，卒然便昃耳。’此释为当乎？”吾谓邢曰：“此语本出太公《六韬》，案字书，古者‘暴晒’字与‘暴疾’字相似，唯下少异，后人专辄加傍‘日’耳。言日中时，必须暴晒，不尔者，失其时也。晋灼已有详释。”芳笑服而退。

【译文】

河间人邢芳对我说：“《贾谊传》说：‘日中必熭。’注：‘熭，暴也。’我曾经看见有人解释说：‘这是暴疾的意思，就是说太阳当顶不一会儿，突然就西斜了。’这个解释恰当吗？”我对邢芳说：“这句话本出自姜太公《六韬》，按字书，古时候‘暴晒’的‘暴’字与‘暴疾’的‘暴’字很相似，只是下部分稍微不同，后人按自己的想法随意地在暴字旁边加了个‘日’旁。‘日中必熭’的意思是，太阳当顶时，必须暴晒物品，不这样的话，就会失去晾晒的好时机。晋灼对此已有详细解释。”邢芳听了，信服地含笑告退了。

音辞第十八

【原文】

夫九州之人，言语不同，生民已来，固常然矣。自《春秋》标齐言之传，《离骚》目《楚词》之经，此盖其较明之初也。后有扬雄著《方言》，其言大备。然皆考名物之同异，不显声读之是非也。逮郑玄注《六经》，高诱解《吕览》《淮南》，许慎造《说文》，刘熙制《释名》，始有譬况假借以证音字耳。而古语与今殊别，其间轻重清浊，犹未可晓；加以内言外言、急言徐言、读若之类，益使人疑。孙叔言创《尔雅音义》，是汉末人独知反语。至于魏世，此事大行。高贵乡公不解反语，以为怪异。自兹厥后，音韵锋出，各有土风，递相非笑，指马之谕，未知孰是。共以帝王都邑，参校方俗，考覈古今，为之折衷。搉而量之，独金陵与洛下耳。南方水土和柔，其音清举而切诣，失在浮浅，其辞多鄙俗。北方山川深厚，其音沉浊而铫钝，得其质直，其辞多古语。然冠冕君子，南方为优；闾里小人，北方为愈。易服而与之谈，南方士庶，数言可辩；隔垣而听其语，北方朝野，终日难分。而南染吴、越，北杂夷虏，皆有深弊，不可具论。其谬失轻微者，则南人以“钱”为“涎”，以“石”为“射”，以“贱”为“羡”，以“是”为“舐”；北人以“庶”为“戍”，以“如”为“儒”，以“紫”为“姊”，以“洽”为“狎”。如此之例，两失甚多。至邺已来，唯见崔子约、崔瞻叔侄，李祖仁、李蔚兄弟，颇事言词，少为切正。李季节著《音韵决疑》，时有错失；阳休之造《切韵》，殊为疏野。吾家儿女，虽在孩稚，便渐督正之；一言讹替，以为己罪矣。云为品物，未考书记者，不敢辄名，汝曹所知也。

【译文】

全国各地的人语言不同，从有人类以来就是这样。《春秋公羊传》标出对齐国方言的解释，《离骚》被看作是用楚人的词语写的作品，这大概就是语言差异最初的明显例证。后来，扬雄著《方言》，他的论述基本完备，但都是考辨事物名称的异同，并不标示读音的对错。直到郑玄注《六经》，高诱注解《吕氏春秋》和《淮南子》，许慎撰写《说文解字》，刘熙著《释名》，才开始用譬况和假借的方法验证字音。然而古代语言与今天的语言有很大差别，这中间语音的轻、重、清、浊，仍然不能了解；加上他们提出内言外言、急言徐言、读若这一类方法，更加使人疑惑难解。孙炎著《尔雅音义》，这说明到汉末人们才懂得使用反切的注音方法。到了魏国时代，这种方法开始盛行。有书籍记载，高贵乡公曹髦不懂得反切法，人们认为很奇怪。从那以后，音韵方面的论著大批出现，各自带有方言色彩，相互非难嘲笑，争辩是非，不知谁是对的。大家应共同以帝王都城的语言为主，参照比较各地方言，考核古今差异，作出综合恰当的结论。经过反复斟酌，只有金陵和洛阳的语音可以作为标准音。南方的水土柔和，故南方人的口音清脆悠扬而又快速急切，弱点在于浮浅，言辞多鄙陋粗俗。北方的山川深邃宽广，故北方人的口音低沉厚重、滞浊迟缓，表现出它的质朴劲直，言辞多为古代语汇。然而官宦君子的语言，还是以南方地区的为优；乡里小民的语言，则以北方地区的为佳。与不断改换服装的人交谈，南方的官绅与平民，只要几句话就可分辨出他们的身份；隔着墙壁听别人谈话，北方的官绅和平民，一整天也难以区分出来。南方的语言已沾染了吴越的方言，北方的语言也杂糅了异族的词语，两者都有严重的弊端，在此不能一一论述。错差较轻的有：南方人把“钱”读作“涎”，把“石”读作“射”，把“贱”读作“羡”，把“是”读作“舐”；北方人把“庶”读作“戍”，把“如”读作“儒”，把“紫”读作“姊”，把“洽”读作“狎”。像这类例子，两者的差失都很多。我到邺城以来，只看到崔子约、崔瞻叔侄，李岳、李蔚兄弟等对语言颇有研究，略微作了些切磋和补正。李概著《音韵决疑》，时时出现差误；阳休之著《切韵》，十分粗疏。我家的儿女还在孩童时代，我就逐渐督促他们矫正；一个读音有差讹，我都视为自己的罪过。所有物品，未经载籍考证的，就不敢随便称呼它们的名称，这是你们所知道的。

【原文】

古今言语，时俗不同；著述之人，楚、夏各异。《苍颉训诂》，反“稗”为“逋卖”，反“娃”为“於乖”；《战国策》音“刎”为“免”，《穆天子传》音“谏”为“间”；《说文》音“戛”为“棘”，读“皿”为“猛”；《字林》音“看”为“口甘反”，音“伸”为“辛”；《韵集》以“成、仍、宏、登”合成两韵，“为、

奇、益、石”分作四章；李登《声类》以“系”音“羿”；刘昌宗《周官音》读“乘”若“承”：此例甚广，必须考校。前世反语，又多不切。徐仙民《毛诗音》反“骤”为“在遘”，《左传音》切“椽”为“徒缘”，不可依信，亦为众矣。今之学士，语亦不正；古独何人，必应随其讹僻乎？《通俗文》曰：“入室求曰搜。”反为“兄侯”。然则“兄”当音“所荣反”。今北俗通行此音，亦古语之不可用者。玙(yú)璠(fán)，鲁人宝玉，当音“余烦”，江南皆音“藩屏”之“藩”。“岐”山当音为“奇”，江南皆呼为“神祇”之“祇”。江陵陷没，此音被于关中，不知二者何所承案。以吾浅学，未之前闻也。

【译文】

古今语言，因时俗变化而有所不同；著述的人，因所处地域不同而语言有异。《苍颉训诂》把“稗”注为“逋卖”，把“娃”注为“于乖”的反切；《战国策》音“刎”为“免”，《穆天子传》音“谏”为“间”；《说文解字》音“戛”为“棘”，读“皿”为“猛”；《字林》音“看”为“口甘反”，音“伸”为“辛”；《韵集》把“成、仍”和“宏、登”分在两个韵中，把“为、奇、益、石”分成四个韵；李登的《声类》把“系”注音为“羿”；刘昌宗的《周官音》把“乘”读作“承”：这类例子很多，必须进行考核校订。前人标注的反切，又大多不确切。徐仙民的《毛诗音》把“骤”反切为“在遘”，《左传音》把“椽”反切为“徒缘”，这些都是不可依信的，为数还不少。今天的学者，语音也常有不正确的；古人是些什么人，难道就一定正确而我们硬要跟着他们读错吗？《通俗文》说：“入室求曰搜。”服虔把“搜”反切为“兄侯”。如果这样，“兄”应当音“所荣反”。现在北方通行这个读音，这也是不可沿用的古音。"玙璠",是鲁国的宝玉,应当音"余烦",江南人都音为"藩屏"的"藩"。"岐山"的"岐"应当音"奇",江南人都读为"神祇"的"祇"。江陵陷落后,这两个音流行到了关中,不知道它们有什么根据。凭我肤浅的学识,从未听说过。

【原文】

北人之音,多以"举、莒"为"矩";唯李季节云:"齐桓公与管仲于台上谋伐莒,东郭牙望见桓公口开而不闭,故知所言者莒也。然则'莒、矩'必不同呼。"此为知音矣。

【译文】

北方人发音,大多把"举、莒"读为"矩"。只有李季节说:"齐桓公和管仲在朝堂上商议攻伐莒国之事时,东郭牙见齐桓公说话时嘴张开而不闭拢,所以知道齐桓公所说的是莒国。这样看来,'莒、矩'一定有开口合口的区别。"这是一个通晓音韵的人。

【原文】

夫物体自有精粗,精粗谓之好恶;人心有所去取,去取谓之好恶。此音见于葛洪、徐邈。而河北学士读《尚书》云好生恶杀。是为一论物体,一就人情,殊不通矣。

【译文】

所有物体都有精细与粗糙的分别,这种精细与粗糙称之为好或恶;人对某种事物有所取舍,这种取舍称之为好恶。后一个"好、恶"的读音见于葛洪、徐邈的著作。而河北地区的士人读《尚书》时却读作

“好(呼皓切)生恶(乌各切)杀”。这里一个是评论器物的精细或粗糙,另一个是表达人的取舍,很讲不通。

【原文】

甫者,男子之美称,古书多假借为“父”字;北人遂无一人呼为“甫”者,亦所未喻。唯管仲、范增之号,须依字读耳。

【译文】

“甫”,是男子的美称,古书中大多假借为“父”字;于是北方人没有一个把“父”字读成“甫”的,这也是有所不明白的地方。只有管仲号仲父,范增号亚父,应该照“父”字的本音去读。

【原文】

案:诸字书,焉者鸟名,或云语词,皆音“于愆反”。自葛洪《要用字苑》分“焉”字音训:若训“何”训“安”,当音“于愆反”,“于焉逍遥”、“于焉嘉客”、“焉用佞”、“焉得仁”之类是也;若送句及助词,当音“矣愆反”,“故称龙焉”、“故称血焉”、“有民人焉”、“有社稷焉”、“托始焉尔”、“晋、郑焉依”之类是也。江南至今行此分别,昭然易晓;而河北混同一音,虽依古读,不可行于今也。

【译文】

考查各种字书,“焉”是鸟的名称,有的字书说“焉”是虚词,都音“于愆反”。从葛洪的《要用字苑》开始,才区分“焉”字的注音和释义:

如果解释作“何”或作“安”，应当音“于愆反”，“于焉逍遥”（在这里逍遥）、“于焉嘉客”（在这里做嘉宾）、“焉用佞”（哪里需用口才）、“焉得仁”（哪里称得上是仁人）之类都是这样的；如果是用为句尾语气词及句中语气词，应当音“矣愆反”，“故称龙焉”（所以称为龙）、“故称血焉”（所以称为血）、“有民人焉”（有百姓在那里）、“有社稷焉”（有社稷在那里）、“托始焉尔”（寄托从此开始）、“晋、郑焉依”（依靠晋国和郑国）之类都是这样的。江南地区至今实行这种分别，明白易晓；而黄河以北地区把二者混同一个音，虽是依照古代的读法，却不可在今天实行。

【原文】

邪者，未定之词。《左传》曰：“不知天之弃鲁邪？抑鲁君有罪于鬼神邪？”《庄子》云：“天邪地邪？”《汉书》云：“是邪非邪”之类是也。而北人即呼为“也”，亦为误矣。难者曰：“《系辞》云：‘乾坤，《易》之门户邪？’此又为未定辞乎？”答曰：“何为不尔！上先标问，下方列德以折之耳。”

【译文】

邪，是疑问词。《左传》说：“不知道是天抛弃鲁国呢，还是鲁君有罪于鬼神呢？”《庄子》说：“天邪？地邪？”《汉书》说：“是邪？非邪？”这类“邪”字都是这种用法。而北方人把它读成“也”，这就是弄错了。责难我的人说：“《周易·系辞》说：‘乾坤，《易》之门户邪？’这‘邪’也是疑问词吗？”我回答说：“为什么不是？前面先标明疑问，后面才阐明阴阳之德的道理，作出结论。”

【原文】

江南学士读《左传》，口相传述，自为凡例，军自败曰“败”，打破人军曰“败”。诸记传未见“补败反”。徐仙民读《左传》，唯一处有此音，又不言自败、败人之别，此为穿凿耳。

【译文】

江南地区的士人读《左传》，口耳相传，自订章法，凡自家军队失败读成“败”（蒲迈反），打败敌军读成“败”（补败反）。但各种传记中未见有注为“补败反”的。徐邈读《左传》，只有一处注了这个音，又不说明“自败”、“败人”的区别，这就显得牵强附会了。

【原文】

古人云：“膏粱难整。”以其为骄奢自足，不能克励也。吾见王侯外戚，语多不正，亦由内染贱保傅，外无良师友故耳。梁世有一侯，尝对元帝饮谑，自陈“痴钝”，乃成“飔(sī)段”，元帝答之云：“飔异凉风，段非干木。”谓“郢州”为“永州”。元帝启报简文，简文云：“庚辰吴入，遂成司隶。”如此之类，举口皆然。元帝手教诸子侍读，以此为诫。

【译文】

古人说：“富贵人家的子弟，秉性难于端正。”因为他们骄横奢侈，自我满足，不能够克制私欲，力求上进。我看见不少王侯和外戚，语音大多不纯正，也是由于内受下贱保傅的熏染，外无良师益友的缘故。梁朝有一位侯王，曾与梁元帝一起饮酒戏谑，他说自己“痴钝”，却念成

“飔段”，梁元帝戏答他说：“飔不同于凉风，段也不是干木。”他又把“郢州”念成“永州”。梁元帝把此事告知简文帝，简文帝说：“庚辰日吴人进入郢都，便成了司隶校尉。”像这类例子，这位侯王张口就是。梁元帝亲自教诲儿子们的侍读，就以这位侯王的错讹为戒。

【原文】

河北切“攻”字为“古琮”，与“工、公、功”三字不同，殊为僻也。比世有人名“暹”，自称为“纤”；名“琨”，自称为“衮”；名“洸”，自称为“汪”；名“款”，自称为“獡”。非唯音韵舛错，亦使其儿孙避讳纷纭矣。

【译文】

河北地区的人将“攻”字反切为“古琮”，与“工、公、功”三字的读音不同，这是大错。近代有个人名“暹”，他自称为“纤”；有个人名“琨”，他自称为“衮”；有个人名为“洸”，他自称为“汪”；有个人名为“款”，他自称为“獡”。这些不仅音韵搞错了，也使他们的儿孙们在避讳时无所依从。

杂艺第十九

【原文】

真草书迹，微须留意。江南谚云："尺牍书疏，千里面目也。"承晋、宋余俗，相与事之，故无顿狼狈者。吾幼承门业，加性爱重，所见法书亦多，而玩习功夫颇至，遂不能佳者，良由无分故也。然而此艺不须过精。夫巧者劳而智者忧，常为人所役使，更觉为累；韦仲将遗戒，深有以也。

【译文】

楷、草的书法，须稍加留意。江南有谚语说："一尺长的信函，就是你在千里之外给人看到的面目。"江南人上承晋、宋流传下来的风气，都信奉这一点，所以几乎没有字迹潦草马虎的。我从小继承家学，加上生性喜爱书法，所看到的书法范本也多，观赏研习的功夫下得颇深，而书法技艺不高，确实是我没有天分的缘故。但是这门技艺也不必过于精湛。技巧者多劳，智能者多忧，因为字写得好而常被人使唤，更会感到劳累。韦仲将不要子孙学习书法的遗训，确实是有道理的。

【原文】

王逸少风流才士，萧散名人，举世惟知其书，翻以能自蔽也。萧子云每叹曰："吾著《齐书》，勒成一典，文章弘义，自谓可观；唯以笔迹得名，亦异事也。”王褒地胄清华，才学优敏，后虽入关，亦被礼遇。犹以书工，崎岖碑碣之间，辛苦笔砚之役，尝悔恨曰：“假使吾不知书，可不至今日邪？”以此观之，慎勿以书自命。虽然，厮猥之人，以能书拔擢者多矣。故道不同不相为谋也。

【译文】

王羲之是位风流才士，潇洒名人，天下之人都知道他的书法，因此而掩盖了他的其他才能。萧子云常常感叹说：“我撰著《齐书》，编成了一部典籍，书中的文采大义，我自以为是可取的。但我只以书法而有名，这也是怪事。”王褒门第高贵，学识渊博，才思敏捷，后来虽然被迫入关，也仍然受到礼遇。但他还是因为工于书法，为替别人写碑碣到处奔走，在笔砚的差使中受辛苦，曾经悔恨地说：“假如我不懂得书法，不会弄到今天这个样子吧！”由此看来，千万不要自命善于书法。虽然是这样，但那些位卑才浅的人，因会书法而得到提拔的也很多。所以说思想主张不同的人，不能与他们同谋共事。

【原文】

梁氏秘阁散逸以来，吾见二王真草多矣，家中尝得十卷；方知陶隐居、阮交州、萧祭酒诸书，莫不得羲之之体，故是书之渊源。萧晚节所变，乃右军年少时法也。

【译文】

梁朝秘阁的图书散佚以后，我看到二王的楷、草墨迹很多，家里还曾藏有十卷，这才知道陶弘景、阮研、萧子云各家的书法，没有不受王羲之书法影响的,所以王羲之的书体是书法的渊源。萧子云晚年书体有所变化,变成的是王羲之少年时期的笔法。

【原文】

晋、宋以来,多能书者。故其时俗,递相染尚,所有部帙,楷正可观,不无俗字,非为大损。至梁天监之间,斯风未变;大同之末,讹替滋生。萧子云改易字体,邵陵王颇行伪字;朝野翕然,以为楷式,画虎不成,多所伤败。至为一字,唯见数点,或妄斟酌,逐便转移。尔后坟籍,略不可看。北朝丧乱之余,书迹鄙陋,加以专辄造字,猥拙甚于江南。乃以“百”、“念”为“忧”,“言”、“反”为“变”,“不”、“用”为“罢”,“追”、“来”为“归”,“更”、“生”为“苏”,“先”、“人”为“老”,如此非一,遍满经传。唯有姚元标工于楷隶,留心小学,后生师之者众。洎于齐末,秘书缮写,贤于往日多矣。

【译文】

晋、宋以来,有很多会书法的人。所以当时重视书法的风气,互相传染影响,所有书籍都用楷书正体,十分可观,虽然其中不是没有俗字,却没有大的缺陷。到梁朝天监年间,这种风气还没有改变。大同末年,谬误的字体就逐渐产生了。萧子云改换字体,邵陵王使用不规范的字,朝廷内外还一致以他们的字作为楷模,结果是画虎不成反类犬,造成许多弊端。以致写一个字,只看见几个点,或者胡乱增减笔画,随意改换字形。从此以后,文献书籍就难以阅读了。北朝在丧乱之后，字体粗率鄙陋，再加上随意造字，比江南更加拙劣，竟然用“百”、“念”组成“忧”字，用“言”、“反”组成“变”字，用“不”、“用”组成“罢”字，用“追”、“来”组成“归”字，用“更”、“生”组成“苏”字，用“先”、“人”组成“老”字，这样的例子不止一个，而是遍布经典之中。只有姚元标擅长楷书和隶书，留心文字训诂，晚辈以他为师的很多。到了齐朝末年，官府里缮写的各类文稿，比过去好多了。

【原文】

江南闾里间有《画书赋》，乃陶隐居弟子杜道士所为；其人未甚识字，轻为轨则，托名贵师，世俗传信，后人颇为所误也。

【译文】

江南地区民间有本《画书赋》，这是陶弘景的弟子杜道士编写的。这个人不大识字，却轻率地为绘画书法制订准则，还假冒为名师，社会上的人轻易相信和传布，有不少后生被贻误。

【原文】

画绘之工，亦为妙矣；自古名士，多或能之。吾家尝有梁元帝手画蝉雀白团扇及马图，亦难及也。武烈太子偏能写真，坐上宾客，随宜点染，即成数人，以问童孺，皆知姓名矣。萧贲、刘孝先、刘灵，并文学已外，复佳此法。玩阅古今，特可宝爱。若官未通显，每被公私使令，亦为猥役。吴县顾士端出身湘东王国侍郎，后为镇南府刑狱参军，有子曰庭，西朝中书舍人，父

子并有琴书之艺，尤妙丹青，常被元帝所使，每怀羞恨。彭城刘岳，橐之子也，仕为骠骑府管记、平氏县令，才学快士，而画绝伦。后随武陵王入蜀，下牢之败，遂为陆护军画支江寺壁，与诸工巧杂处。向使三贤都不晓画，直运素业，岂见此耻乎？

【译文】

擅长绘画，也是件好事；自古以来的名士，很多都擅长这种技艺。我家曾有梁元帝亲手画的蝉雀白团扇和马图，也是一般人难以企及的。武烈太子特别会画人物，座上的宾客，他随手勾勒描画，就成了几个人像，拿去问小孩，小孩都能把画中人的姓名讲出来。萧贲、刘孝先、刘灵除文学之外，还擅长这种技法。赏玩的古今名画，确实令人爱不释手。但如果官职没有通达显赫，经常为公家或私人画画，也是一项卑贱的差事。吴县顾士端做过湘东王国侍郎，后来担任镇南府刑狱参军，有个儿子叫顾庭，是梁朝的中书舍人，父子二人都会弹琴写字，尤其有较高的绘画技艺，常被梁元帝叫去画画，每每感到羞愧和愤恨。彭城刘岳，是刘橐的儿子，担任过骠骑府管记和平氏县令，是位有才学的豪爽之士，绘画水平极高。后来他随同武陵王到了西蜀，当武陵王的军队在下牢关失败后，于是被陆护军遣去画支江寺的壁画，与工匠

们混杂在一起。假若以上三位贤人都不懂得绘画,而是专攻儒学,难道会蒙受这种耻辱吗?

【原文】

弧矢之利,以威天下,先王所以观德择贤,亦济身之急务也。江南谓世之常射,以为兵射,冠冕儒生,多不习此;别有博射,弱弓长箭,施于准的,揖让升降,以行礼焉。防御寇难,了无所益。乱离之后,此术遂亡。河北文士,率晓兵射,非直葛洪一箭,已解追兵,三九宴集,常縻荣赐。虽然,要轻禽,截狡兽,不愿汝辈为之。

【译文】

锋利的箭头,可以威慑天下,前代帝王以此观察人的德行,选择贤才,同时也是保全自身的紧要事情。江南地区称社会上的习射叫兵射,仕宦之家的读书人,大多不操习它;另有一种博射,用软弓长箭,射在箭垛上,讲究揖让进退,以此表达礼节。但这种博射,对抵御敌寇灾难,毫无用处。战乱之后,这种射法便失传了。河北地区的文人,大都懂得兵射,不但能像葛洪那样,一箭便纾解了敌人的追兵;而且在三公九卿出席的宴会上,常常靠它得到荣誉和赏赐。虽然射箭有如此好处,但是射杀轻捷的飞禽,拦击狡猾的野兽,我却不愿你们去参加。

【原文】

卜筮者,圣人之业也;但近世无复佳师,多不能中。古者,卜以决疑,今人生疑于卜。何者?守道信谋,欲行一事,卜得恶卦,反令恜(chì)恜,

此之谓乎！且十中六七，以为上手，粗知大意，又不委曲。凡射奇偶，自然半收，何足赖也！世传云："解阴阳者，为鬼所嫉，坎壈贫穷，多不称泰。"吾观近古以来，尤精妙者，唯京房、管辂、郭璞耳，皆无官位，多或罹灾，此言令人益信。傥值世网严密，强负此名，便有诖误，亦祸源也。及星文风气，率不劳为之。吾尝学《六壬式》，亦值世间好匠，聚得《龙首》《金匮》《玉軨变》《玉历》十许种书，讨求无验，寻亦悔罢。凡阴阳之术，与天地俱生，其吉凶德刑，不可不信；但去圣既远，世传术书，皆出流俗，言辞鄙浅，验少妄多。至如反支不行，竟以遇害；归忌寄宿，不免凶终：拘而多忌，亦无益也。

【译文】

卜筮，属圣人的职业。近代没有好的卜师，卜筮结果大多不能应验。古人用占卜来解决疑惑，今人却因占卜而产生疑惑。为什么呢？一个恪守道义，相信自己谋略的人，打算干一件事，却卜得一个恶卦，反而忧惧不安，这就是所说的因占卜而产生疑惑的情况吧！况且今人占卜十次，有六七次应验，就把卜筮者看成高手，其实他们只粗知卜术大意，却不了解底蕴。凡是对吉凶祸福都进行占卜，自然有一半应验，这种占卜怎能值得信赖呢！社会上流传说："懂得阴阳术的人，被鬼妒忌，他命途坎坷，穷困潦倒，大多不得平安。"我看近古以来特别精通占卜术的人，只有京房、管辂、郭璞，他们都没有得到官位，大多遭受灾祸，这句话就使人更加相信了。如果碰到世网严密，勉强背上个善于占卜的名声，就会有连累，这也是招来祸患的根源。至于靠观察天文气象以预测吉凶的事，你们一概不要去做。我曾学过《六壬式》，也遇到过人世间的高明术士，搜集到《龙首》《金匮》《玉軨变》《玉历》等十多种书，对它们进行过研究探讨，却没有应验，随即就后悔而作罢了。大凡阴阳术，与天地一齐产生，也可昭示吉和凶、恩泽和惩处，不可不相信。但我们距离圣人的时代已经很远，社会上流传的术数书籍，都出自平庸者之手，语言粗鄙肤浅，应验的少，虚妄的多。至于知道反支日不出行，可有人照样遇害；知道不宜回家的忌日便寄宿在外，可有人还是不免惨死。这说明拘泥这类说法，禁忌多，也是没有好处的。

【原文】

算术亦是六艺要事，自古儒士论天道，定律历者，皆学通之。然可以兼明，不可以专业。江南此学殊少，唯范阳祖暅(xuǎn)精之，位至南康太守。河北多晓此术。

【译文】

算术是六艺中很重要的一项。自古以来的文人，谈论天文，制定律历，都要学习它、弄通它。但是只可以附带去掌握，不可以作为专业。江南地区懂得这门学问的人很少，只有范阳的祖暅精通它，此人官至南康太守。黄河以北地区的人大多通晓这门学问。

【原文】

医方之事，取妙极难，不劝汝曹以自命也。微解药性，小小和合，居家得以救急，亦为胜事。皇甫谧、殷仲堪则其人也。

【译文】

看病开药的事，要达到精妙的地步很难，我不劝你们以此作为追求目标。稍微懂一点药性，能配上一点药方，居家可以此救急，就是一桩好事了。皇甫谧、殷仲堪就是这样的人。

【原文】

《礼》曰："君子无故不彻琴瑟。"古来名士，多所爱好。洎于梁初，衣冠子孙，不知琴者，号有所阙；大同以末，斯风顿尽。然而此乐愔(yīn)愔雅致，有深味哉！今世曲解，虽变于古，犹足以畅神情也。唯不可令有称誉，见役勋贵，处之下坐，以取残杯冷炙之辱。戴安道犹遭之，况尔曹乎！

【译文】

《礼记》上说："君子不无故把琴瑟撤去。"自古以来的名士，大多爱好琴瑟。到了梁朝初年，官宦家的子孙，不懂得弹琴的，就被看成是一种缺憾。大同末年，这种风气突然消失了。但是这种音乐和悦雅致，有很深的韵味。现在的乐曲，虽然跟古代有不少变化，但仍足以充分抒发情感。只是不可因此而出名，以致被功臣权贵所役使，让你处于下座，遭受吃残菜冷饭的屈辱。连戴安道都受到这样的对待，何况你们呢！

【原文】

《家语》曰："君子不博，为其兼行恶道故也。"《论语》云："不有博弈者乎？为之，犹贤乎已。”然则圣人不用博弈为教；但以学者不可常精，有时疲倦，则傥为之，犹胜饱食昏睡，兀然端坐耳。至如吴太子以为无益，命韦昭论之；王肃、葛洪、陶侃之徒，不许目观手执，此并勤笃之志也。能尔为佳。古为大博则六箸，小博则二焭(qióng)，今无晓者。比世所行，一焭十二棋，数术浅短，不足可玩。围棋有手谈、坐隐之目，颇为雅戏；但令人耽愦，废丧实多，不可常也。

【译文】

《孔子家语》说："君子不参加博戏，因为博戏也会使人走上邪道。"《论语》说："不是有下围棋的游戏吗？玩一玩，比什么都不干好。"尽管如此，圣人是不把博戏和下围棋作为教育内容的。只因为读书人不可能总是精力集中，有时疲倦了，偶尔玩一玩，比吃了饭整天昏睡，或呆呆坐着要好些。至于吴太子认为下围棋无益，命韦昭写文章论述它的害处；王肃、葛洪、陶侃不许自己眼观棋盘，手执棋子，这都是因为他们对自己的事业勤奋专心。能够这样当然好。古时候，玩大博用六根竹棍，小博用两个骰子，现在已没有人懂得这种玩法了。当今流行的玩法，是用一个骰子和十二个棋子，方法简单浅陋，不值得一玩。围棋有手谈、坐隐等名目，是一种颇为高雅的游戏。但它使人昏乱糊涂，损害确实太多，不可经常玩。

【原文】

投壶之礼，近世愈精。古者，实以小豆，为其矢之跃也。今则唯欲其骁，益多益喜，乃有倚竿、带剑、狼壶、豹尾、龙首之名。其尤妙者，有莲花骁。汝南周瓒，弘正之子，会稽贺徽，贺革之子，并能一箭四十余骁。贺又尝为小障，置壶其外，隔障投之，无所失也。至邺以来，亦见广宁、兰陵诸王，有此校具，举国遂无投得一骁者。弹棋亦近世雅戏，消愁释愦，时可为之。

【译文】

投壶的游戏，到近代更加精妙。古时候，在壶里装上小豆，生怕箭弹出壶外。现在却只希望箭投进去又弹出来，弹出的次数越多越高兴，于是就有了倚竿、带剑、狼壶、豹尾、龙首等名目。其中最妙的，要数莲花骁。汝南人周瓒，是周弘正的儿子，会稽人贺徽，是贺革的儿子，他俩都能一支箭反弹出来四十余次。贺徽又曾做了一个小屏障，把壶放在屏障外面，隔着屏障投壶，没有不投中的。我到邺城以后，也看见广宁王、兰陵王有这类小屏障，但全国却没有一人能把箭投进去又反弹出来的。弹棋也是近代的一种文雅的游戏，可以消愁解闷，偶尔也可玩一玩。

终制第二十

【原文】

死者，人之常分，不可免也。吾年十九，值梁家丧乱，其间与白刃为伍者，亦常数辈；幸承余福，得至于今。古人云："五十不为夭。"吾已六十余，故心坦然，不以残年为念。先有风气之疾，常疑奄然，聊书素怀，以为汝诫。

【译文】

死亡，是人生必然的归宿，是不能避免的。我十九岁的时候，碰上梁朝发生兵乱，当时与白晃晃的刀枪相处的日子，也曾有多次；幸而承荫祖上的余福，得以生存到今天。古人说："五十岁死亡，不算夭折。"现在，我已六十多岁了，所以内心坦荡，不考虑自己还有多少余年。我早先患过风气病，常常担心会突然死亡，姑且先写下我平时的一些想法，作为对你们的嘱咐。

【原文】

先君先夫人皆未还建邺旧山，旅葬江陵东郭。承圣末，已启求扬都，欲营还厝(cuò)。蒙诏赐银百两，已于扬州小郊北地烧砖，便值本朝沦没，流离如此，数十年间，绝于还望。今虽混一，家道罄穷，何由办此奉营资费？且扬都污毁，无复孑遗，还被下湿，未为得计。自咎自责，贯心刻髓。计吾兄弟，不当仕进；但以门衰，骨肉单弱，五服之内，傍无一人，播越他乡，无复资荫；使汝等沉沦厮役，以为先世之耻；故靦冒人间，不敢坠失。兼以北方政教严切，全无隐退者故也。

【译文】

我的父亲和母亲都没有归葬建邺故乡，暂时厝葬在江陵的东城。承圣末年，我已向扬都的朝廷提出请求，想设法迁葬。承蒙皇上下诏，赐给我百两银子，我已在扬都北郊一块狭小的地方烧制墓砖，却值梁朝覆没，流离到了这里。几十年来，对迁葬父母还归故土已经绝望了。现在，国家虽然统一了，但家里的资财却用完了，还有什么办法来置办迁葬的费用呢？而且，扬州城已经被毁坏，不再有遗留，回到那低湿的地方去，也不符合我的心意。我内心自咎自责，刻骨铭心。想来我们兄弟，不应当步入仕途；仅仅因为门庭衰落，骨肉至亲孤单弱小，在五服之内，没有一个人可以依托，只能迁越他乡，不再有门第的荫庇；使你们子弟沦至奴仆的地位，成了祖上的耻辱；所以我含辱忍耻地生活在人间，不敢辞官隐退。加上北朝的政教非常严厉，完全没有隐退的官员，这也是我不离开官位的缘故。

【原文】

今年老疾侵，傥然奄忽，岂求备礼乎？一日放臂，沐浴而已，不劳复魄，殓以常衣。先夫人弃背之时，属世荒馑，家涂空迫，兄弟幼弱，棺器率薄，藏内无砖。吾当松棺二寸，衣帽已外，一不得自随，床上唯施七星板；至如蜡弩牙、玉豚、锡人之属，并须停省，粮罂明器，故不得营，碑志旒(liú)旐(zhào)，弥在言外。载以鳖甲车，衬土而下，平地无坟；若惧拜扫不知兆域，当筑一堵低墙于左右前后，随为私记耳。灵筵勿设枕几，朔望祥禫(dàn)，唯下白粥清水干枣，不得有酒肉饼果之祭。亲友来餟酹(lèi)者，一皆拒之。汝曹若违吾心，有加先妣，则陷父不孝，在汝安乎？其内典功德，随力所至，勿刳竭生资，使冻馁也。四时祭祀，周、孔所教，欲人勿死其亲，不忘孝道也。求诸内典，则无益焉。杀生为之，翻增罪累。若报罔极之德，霜露之悲，有时斋供，及七月半盂兰盆，望于汝也。

【译文】

我现在年老多病，倘若突然逝世，难道会要求你们对我礼仪周备吗？我一旦死亡，只求为我沐浴遗体，不劳你们举行“复魄”礼，给我装殓普通衣服便行。先母弃我而去的时候，正逢年岁饥荒，家境困窘，兄弟幼弱，故棺材随葬物都很简薄，坟内无砖。我也只需两寸厚的松棺，除穿戴的衣帽以外，一概不能有随葬品，棺材底部垫些七星板；至于蜡弩牙、玉豚、锡人一类的东西，一律省去；粮罂和明器，本来就不需办理，碑志和魂幡，更不必提了。用鳖甲车运载棺材，墓中陪衬些泥土就可下葬，上面应是平地，不需垒成坟堆；如果担心扫墓时不清楚墓界，可以在前后左右筑一座低矮的墙，随便做一个标记就行了。灵筵上不要设枕几，初一十五举行祥禫祭祀时，只需摆些白粥、清水和干枣，不能用酒、肉、饼、果作祭品。亲友来祭奠的，一概谢绝。你们如果违背我的想法，超过了对我母亲的葬祭，那就是使你们的父亲陷入不孝的境地，你们能安心吗？至于诵经念佛等功德，量力而行，不要耗尽资财，使自己受冻挨饿。四时对先辈进行祭祀，这是周公、孔子的教导，目的是要人们不忘记死去的亲人，不忘记孝道。如果从佛经找根据，这就没有什么意义了。杀生来祭祀，反而会加重死者的罪过。如果你们要报答父母的无穷恩德，表达思念亲人的悲痛，就按时供奉斋品，到七月半的盂兰盆节，我也盼望你们的斋供。

【原文】

孔子之葬亲也，云："古者墓而不坟。丘东西南北之人也，不可以弗识也。"于是封之崇四尺。然则君子应世行道，亦有不守坟墓之时，况为事际所逼也！吾今羁旅，身若浮云，竟未知何乡是吾葬地；唯当气绝便埋之耳。汝曹宜以传业扬名为务，不可顾恋朽壤，以取堙没也。

【译文】

孔子安葬双亲时，说："古代只筑墓不垒坟。但我孔丘是个东西南北漂泊不定的人，墓上不可以没有标志。"于是，垒了一座四尺高的坟堆。这样看来，君子按不同的情况来践履自己的主张，也有不遵守"墓而不坟"的古制的时候，何况常被情势所逼迫呢！我现在客居他乡，像浮云一样游移不定，竟然不知道何方乡土是我的葬身之地；我断气后埋在当地就可以了。你们应以承传家业、播扬名声为己任，切不可顾恋埋葬先人的腐土，以致埋没了自己的前程。